S0-BYL-692

PAN, VINO Y AMISTAD

Colección APORTES

julio de santa ana

PAN, VINO Y AMISTAD

Corrección, diagramación y portada: Jorge David Aruj

241
S231 pa Santa Ana, Julio de
Pan, vino y amistad / Julio de Santa Ana. — San José:
DEI, 1985.
164 p.; 18 cm. — (Colección aportes)

ISBN 9977-904-18-9

1. Teología pastoral. 2. América Latina — Religión.
I. Título. II. Serie.

ISBN:
Hecho el depósito de ley

ISBN 9977-904-18-9

PEDIDOS DE PERSONAS E INSTITUCIONES A:

DEI
Departamento Ecuménico de Investigaciones
Apartado 339 - 2050
SAN JOSE — COSTA RICA

INDICE

PREFACIO

Es un hecho incontestable que en el correr de las últimas décadas ha ganado mucha fuerza entre las comunidades cristianas de todo el mundo la conciencia de que las mismas son asambleas eucarísticas. Como consecuencia de ello, la práctica eucarística ha alcanzado una nueva intensidad. Estos hechos no tienen una sola causa. Para explicarlos hay que recurrir al movimiento de renovación litúrgica en la Iglesia; a la influencia de algunas comunidades (por ej., Taizé en Francia, Grandchamps en Suiza) que han destacado la importancia de la Cena del Señor en la vida de los cristianos; al movimiento ecuménico; al movimiento de renovación pastoral que se concreta en el formidable crecimiento de las Comunidades Eclesiales de Base, especialmente en América Latina; al surgimiento y desarrollo de nuevas teologías que ponen de relieve la importancia de la espiritualidad cristiana, como es –por ejemplo– el caso de la teología de la liberación; etc.

En este trabajo no interesa entrar en el discernimiento de las razones que están llevando a este reavivamiento eucarístico. Lo importante es tomarlo en cuenta. Entre Agosto y Octubre de 1981 tuve la oportunidad de pasar por varias experiencias en las que de un modo u otro la celebración de la eucaristía fue fundamental. Experiencias ecuménicas, algunas de participación amplia, otras restringidas. Varias de ellas celebradas en contextos comunitarios muy ricos. Otras en situaciones abiertas, casi multitudinarias. La intensidad de esos momentos fue tan grande (y, al mismo tiempo, la debilidad de otras eucaristías en el mismo período, tan evidente), que me sentí interpelado para reflexionar y poner en claro todo lo que me fuera posible el significado de ese acto tan central para la fe cristiana, que a través de los siglos condensa la manera de celebrar la fe por parte del pueblo de Dios.

Estas reflexiones siempre tuvieron como raíz la práctica eclesial de las Comunidades de Base. En el correr de los últimos dos años he tenido la gracia de poder acompañarlas en su marcha militante por el Reino de Dios, enriqueciéndome con sus percepciones, sintiéndome interpelado una y otra vez por esa fe del pueblo que avizora la presencia del Espíritu donde no penetran los ojos de quienes no tienen su misma práctica de fe y esperanza. Es una práctica que confirma lo que dijo Jesús a los setenta y dos discípulos cuando volvieron de su misión: "Padre, Señor del cielo y de la tierra, yo te bendigo porque has ocultado estas cosas a los sabios e inteligentes y se las has mostrado a los pequeñitos" (Luc. 10:21). Hay en la práctica que el pueblo tiene de su fe tanta riqueza, tanta abertura, tanta generosidad, que ciertamente estas páginas no pueden dar cuenta de todo ello. No obstante, es en "ese pozo" como así bien lo llama

Gustavo Gutiérrez, que se ha nutrido en primer término mi reflexión.

Y, a partir de esa vivencia de la fe, una y otra vez he ido a la reflexión bíblica y al pensamiento de quienes en el pasado y en el presente también han acompañado con sus percepciones y meditaciones la fe del pueblo de Dios. La Biblia es el libro que a través de los siglos da testimonio constante de la acción liberadora del Dios Vivo revelado plenamente en Jesucristo, y que también convoca de diversas maneras al ejercicio de una vida comunitaria. En la celebración de la cena del Señor encontramos ambas cosas: el festejo de las memorias de nuestra liberación en el pasado y la expresión de nuestra esperanza comunitaria.

De esta exploración en torno a la eucaristía he ido aprendiendo algunas cosas que me he preocupado de comunicar en este texto. Son percepciones que han hecho ganar nueva profundidad a mi fe y que he ido adquiriendo gracias a otros, y creo que son fieles al sentido que Jesús quiso darle a este acto cuando lo celebró con los doce discípulos en la víspera de su muerte, impartiendo la instrucción de que continuáramos haciendo lo mismo "en memoria de él".

En *primer lugar,* la Santa Cena surge como un acto que conlleva una gran variedad de sentidos. Es comunión, es recuerdo de la liberación, es compromiso con el Reino, es expresión de una comunidad militante, es misterio de la presencia de Jesucristo con quienes creen, es motivación para la unidad, es alimento y fuerza para mantenerse dinámicos en la lucha que exige el desarrollo de la misión del pueblo de Dios. . . Es sentimiento intenso al mismo tiempo que iluminación de la mente. Es motivo de obediencia a Dios y convocación al ejercicio de la esperanza. Lamentablemente, muchas veces se ha intentado centrar demasiado el sentido de la eucaristía en una sola cosa. Cuando esto ocurre, aunque puede estar motivada esta acción por razones pastorales y/o teológicas bien comprensibles, de hecho se está limitando esa riqueza del acto, esa grandeza de señales y símbolos que surgen del mismo. Se deja de tener en cuenta, así, que cuando el pueblo se acerca a la Mesa del Señor no lo hace pensando en una sola cosa, pues, el Señor es tan grande, tan inconmesurable para quienes tienen fe en El, que no debe ser limitado.

Además, como se sabe, el testimonio que nos legaron los evangelistas de los acontecimientos de aquella última noche de Jesús con los doce, ciertamente no da cuenta de todo lo que entonces ocurrió. Las palabras que acompañan la institución eucarística son como un resumen destilado, como el núcleo fundamental de lo que Jesús debe haber dicho. Por supuesto, esta toma de conciencia no da derecho para pensar cosas que no están en el testimonio evangélico. Pero al mismo tiempo es como un llamado de alerta para comprender que no se debe limitar el sentido de la Santa Cena a apenas uno o dos puntos.

Esta riqueza eucarística, como ya se dijo, resalta en la práctica de la fe del pueblo de Dios. A medida que los pobres, que por tanto tiempo en América Latina fueron como participantes de segunda clase en la vida de la Iglesia, se acercan a la Mesa como actores de primer plano en el desarrollo de las luchas que conducen al Reino, va apareciendo de manera cada vez más clara este enorme capital simbólico del acto instituido por Jesús. A través de nuevos himnos, de dramatizaciones, de percepciones que imaginativamente se relacionan con diversos aspectos de la eucaristía, van surgiendo nuevas vetas de este acto, cuyo núcleo simbólico no acepta limitaciones ni definiciones rígidas.

En *segundo lugar,* estimo importante llegar a tomar conciencia de que las fórmulas clásicas de la teología para comprender este sacramento corresponden a momentos de la evolución del pensamiento cristiano que son muy diferentes del actual. En esos contextos históricos la fe se veía desafiada por visiones del mundo, por concepciones de la realidad, que en el día de hoy no son tan evidentes. Esos conceptos sobre el significado del acto eucarístico respondieron a situaciones que la propia evolución humana fue dejando atrás. Con esto no se pretende negar el valor de las mismas, no sólo para su tiempo, sino para que por medio de ellas también hoy podamos comprender cómo intentar un enfoque apropiado de cuestiones tan importantes. De ahí resulta que para reflexionar sobre el sentido de la eucaristía resulta imperioso trascender los límites de la polémica impuestos en el correr del Siglo XVI. Precisamente en aquellos años, cuando se desarrolló la Reforma Protestante y la Contra-Reforma Católica, se definieron con mayor precisión las concepciones dogmáticas del misterio eucarístico. Sin embargo, en nuestro tiempo, tenemos que enfrentar nuevas preguntas, y *sobre todo dar cuenta de una nueva práctica eclesial en la que pesan de manera muy especial los valores culturales y las tradiciones populares.* Para ello, no son suficientes (incluso se puede decir que pueden llegar a hacer perder el sentido de la comprensión del acto eucarístico en el intento de reactualizarlo) las herramientas conceptuales de aquella época. Por eso *nos parece necesario salir del ámbito de esa polémica.* Ella fue muy importante y sumamente necesaria en su tiempo. Las consecuencias de la misma deben también ser asumidas en nuestra época. Pero ello tiene que llevarse a cabo con la conciencia de que vivimos en un tiempo de diálogo y no de polémica, en un tiempo de autonomía del pensamiento y no de sometimiento del mismo a supuestas normas trascendentes, en un tiempo en el que los pobres irrumpen en la historia de la humanidad como sujeto protagónico y en el que están dejando de ser apenas espectadores o meros participantes de segunda o tercera clase en la vida de las Iglesias. Las páginas que siguen procuran, de uno u otro modo, situar la reflexión sobre la eucaristía precisamente en el contexto de estas nuevas coordenadas, con el propósito de que la práctica eucarística pierda el carácter anacrónico que muchas veces la ha singularizado.

En *tercer lugar,* y a partir precisamente de esa práctica de nuestro tiempo, hemos intentado subrayar *la importancia de la comida eucarística más bien que la de los alimentos* que en ella se ingieren. La presencia misteriosa de Jesucristo, afirmada por nuestra fe cuando nos aproximamos a la Mesa a la que El nos invita, no es asunto que pueda depender de problemas químicos. Fundamentalmente tiene que ver con la existencia de una *comunidad* que da a conocer mediante la participación en la solemnidad de la Cena su fe en el Señor Crucificado y Resucitado, quien la convoca a una práctica militante de la esperanza del Reino del Dios. En la Mesa hay *pan* y *vino*. En torno a la misma hay una comunidad de *amigos.* Al mismo tiempo, más allá de todo eso, entre todo eso, está Jesucristo mismo. Es la ocasión de la comida de la nueva pascua que indica la comunión con él. Ese es el misterio que afirma la fe cristiana. En torno al mismo se construye la comunidad, crece la Iglesia, que es una manera de decir que es allí donde Jesucristo va tomando forma. Se trata de una *comida que tiene lugar en el contexto de la celebración del culto.* Comida que señala y anuncia el gran banquete del Reino, cuando se celebrará definitivamente la fraternidad de quienes son sus herederos: los pobres, los perseguidos por causa de la justicia, los que han sido oprimidos y dejados de lado por los poderes de este mundo.

En *cuarto lugar,* de alguna manera las reflexiones que se presentan a continuación abogan porque termine cuanto antes el escándalo de que LA MESA DEL SEÑOR esté dividida en cenáculos que se excluyen unos a otros. *Nuestro tiempo está llamado a ser tiempo de intercomunión.* No es posible dejar de tener en cuenta que cristianos de diferentes Iglesias se encuentran dando testimonio de su fe a través de la participación en las mismas causas. ¿Cómo es posible que cuando llega el momento de celebrar a su Señor y expresar el testimonio de su comunión en la marcha hacia el Reino tengan que separarse? Esto no significa que las razones que en el pasado llevaron a sus respectivas Iglesias a definir sus posiciones, no hayan sido válidas. Lejos está de nuestro pensamiento reprobarlas. Es necesario comprenderlas en su contexto propio. Mas el nuestro convoca a la unidad en torno a la Mesa. Es una cuestión que trasciende a la teología dogmática. Es algo que surge a partir de los desafíos que presenta la misión cristiana. ¿Cómo evangelizar en nombre de Aquél que recapitulará todas las cosas cuando se llegue al cumplimiento de la historia, si el testimonio que se da del mismo indica la división? ¿Cómo aceptar el desafío evangelizador de Jesucristo, presente entre los pobres, que convoca a la unidad, si las Iglesias con sus énfasis dogmáticos dividen a esos mismos pobres? El pan resulta de la unión de muchos granos de trigo. El vino es producido por el jugo de muchas uvas. La amistad es haz fraterno que une a los seres humanos. ¡Que la celebración de la Cena sea realmente señal de todo eso!

Sao Paulo, Cuaresma de 1985

N.B. Tengo que agradecer profundamente, primero a mi mujer, Violaine, quien no sólo me acompañó y apoyó durante todo este tiempo de reflexión, sino que también corrigió el texto original y ayudó a mejorarlo con oportunas indicaciones. Su paciencia y comprensión fueron factores que permitieron llevar el proyecto de este libro hasta el fin. Y también agradecer a Amelia Tavares Correia Neves, quien con competencia y dedicación dactilografió este texto.

INTRODUCCION

> Yo recibí del Señor mismo lo que a mi vez les he enseñado: Que el Señor Jesús, la noche en que fue entregado, tomó el pan, y después de dar gracias lo partió diciendo: 'Esto es mi cuerpo que es entregado por ustedes: hagan esto en memoria mía'. De la misma manera, tomando la copa después de haber cenado, dijo: 'Esta copa es la Nueva Alianza en mi sangre. Siempre que beban de ella, háganlo en memoria mía'. Así, pues, cada vez que comen de este pan y beben de la copa, están anunciando la muerte del Señor hasta que venga.
>
> I Corintios 11. 23-26

Entre todos los actos litúrgicos por medio de los cuales se celebra la fe cristiana, la eucaristía ocupa un lugar prominente. En el momento de la celebración de la Cena hay una concentración de acciones muy significativas: la comunidad cristiana *recuerda* lo que hizo Jesucristo por la redención del mundo; *da gracias* por ello; procura mantener presente el *sacrificio* de Aquél que se ofreció totalmente para que los seres humanos puedan tener una vida abundante; *anuncia el Reino de Dios,* en el que la fraternidad reinará entre todos; se *compromete* a luchar por ese reino de paz; y *alaba* a Dios, cuya acción en la historia permite esa expresión de regocijo.

Esta concentración de significados da a la celebración de la Cena una densidad incomparable. Es un acto de unión mística con Jesús, al mismo tiempo que un acontecimiento en el que se afirma el compromiso de empeñarse por hacer realidad un mundo nuevo. Es memorial, y simultáneamente expresión de esperanza: a la vez que se recuerda lo que Jesús hizo, también se mira hacia el futuro ansiosamente, porque lo que ocurrirá será la satisfacción de todas las expectativas humanas. La eucaristía es el acto objetivo que significa todo eso, pero también es el misterio que permite la expresión de esa comunión, de ese compañerismo, de esa amistad profunda, que sólo es comprensible para los ojos de quienes viven con fe.

Esta importancia de la Cena nace de aquel hecho tan especial de la relación de Jesús con sus discípulos, que ocurrió en la última noche que pasó con ellos. No fue la única vez que Jesús comió con ellos; por cierto, según las narraciones de los Evangelios, él se sentó a la mesa con sus compañeros en muchas ocasiones. La fraternidad fue una tónica constante en la vida del Nazareno, y una forma clara de concretarla es compartiendo la comida y esa atmósfera tan especial que se crea cuando los seres humanos comparten no sólo el pan, el vino, sino también la amistad.

Jesús mismo destacó la importancia de esa última cena. No fue una comida como tantas otras: se trataba de la celebración de la Pascua, la fiesta del pueblo judío, a comienzos de la primavera, mediante la cual Yahvé era alabado y recordado por sus grandes gestos liberadores. Simultáneamente, el pueblo de Israel rememoraba las difíciles circunstancias en que tuvo que salir del país de Egipto: dejando todo atrás, apresuradamente, corriendo innumerables riesgos, teniendo que enfrentar las angustias que depara la existencia en medio de condiciones del desierto. O sea, que en la Pascua se festeja la liberación así como se conmemora el dolor y la amargura de lo que significó la vida en el desierto.

Jesús tenía muchos deseos de comer esa pascua con el grupo de discípulos (Luc. 22:15). Quería celebrar con ellos la libertad que Yahvé ofreció al pueblo esclavo, pero al mismo tiempo quiso dar a esa fiesta un significado nuevo. Acorde con la orientación de su ministerio, que fue un anuncio y una manifestación del Reino de Dios, Jesús dio a la festividad pascual una dimensión insospechada: la del misterio de la comunión que se establece entre quienes viven anhelando el cumplimiento del Reino de Dios.

La iglesia primitiva, desde los tiempos que sucedieron a la resurrección de Jesús, tuvo conciencia de la importancia de esta reorientación de la Pascua. De ahí la seriedad, la circunspección, con que comenzaron a celebrarla. Es verdad que los pobres de Jerusalén comían juntos, asistiendo a "la fracción del pan" (Hech. 2:42). Pero sólo se participaba en este acto luego de "acudir asiduamente a la enseñanza de los apóstoles", a partir de lo cual se iba desarrollando el espíritu de convivencia. Con este sentimiento todo era compartido: "a cada uno según sus necesidades" (Hech. 4:35). El testimonio de Lucas cita entonces el caso de Bernabé, "levita, nacido en Chipre, quien vendió el campo que tenía y entregó el dinero a los apóstoles" (Hech. 4:32).

La participación en la fracción del pan y en la libación de la copa era un acontecimiento muy especial para los primeros creyentes. La comunión y el compartir los dones de la mesa suponían un testimonio probado. Sin embargo, la celebración eucarística –desde poco tiempo después del comienzo de la historia de la iglesia– estuvo marcada en algunos lugares por desviaciones y excesos. Eso ocurrió, por ejemplo, entre los creyentes de Corintio. San Pablo les llama la atención porque se sentaban a la mesa del Señor a pesar de las divisiones y rivalidades que existían entre ellos (I Cor. 11:18-19). Entonces les escribió el apóstol, "su reunión, ya no es la Cena del Señor" (I. Cor. 11:20). Y, lo que era peor, en esa oportunidad muchos se adelantaban a comer su propia comida. Los que tenían mucho eran saciados, en tanto que los que poco poseían, pasaban hambre. El momento de comunión se transformaba en testimonio de diferencias y distinciones.

Ante esta situación San Pablo, con mucha atención y cuidado, trató de encaminar la práctica de la Santa Cena de acuerdo a como las comunidades cristianas primitivas entendían hacerlo para mantener la nueva dimensión que Jesús había dado a la cena pascual. Por eso San Pablo escribió: *"Yo recibí del Señor lo que a mi vez les he enseñado".*[1] O sea, que de acuerdo a la

1. Cf. J. Jeremías: *The Eucharistic Words of Jesus.* London: SCM Press Ltd.; 1966. p. 188. "La historia paulina de la Cena del Señor, la forma escrita más antigua de un pronunciamiento del mismo Jesús, fue escrita probablemente en la primavera del 54. Cuando Pablo dijo que él ha transmitido verbalmente las palabras de la historia a los Corintos (I

tradición según la cual Pablo entró en contacto con la fe de "los del camino" (Hech. 9:2-ss), la Cena ya se celebraba con un cierto orden; se mantenían algunas orientaciones que se consideraban fundamentales. Intentando resumirlas de acuerdo a los conocimientos de que disponemos[2], es posible señalar, en *primer lugar,* que desde muy temprano en la iglesia primitiva, se percibió la eucaristía como aquella celebración que corresponde al centro mismo de la vida de fe. O sea, que cuando se participa en la Santa Cena, se expresa claramente la creencia en Jesucristo como Señor y Salvador. En *segundo lugar,* como bien lo indica el

Cor. 11:23; "lo que a mi vez les he enseñado"), esto nos lleva atrás, hasta el Otoño del 49, o sea al comienzo del trabajo misionero en Corinto. La afirmación previa del Apóstol de que el relato le fue transmitido (cf. 11:23: "Yo recibí del Señor mismo"), nos lleva aún más hacia atrás. ¿Cuándo Pablo recibió él mismo la tradición eucarística? ¿En el momento de su conversión? ¡Esto es muy probable! Pero, si uno examina con cuidado esa *fórmula*, debe sin embargo responder que las palabras de I Cor. 11:23-25 son posteriores. O sea, que la tradición testimoniada por Pablo fue formada en círculos helenísticos, y que hay contactos entre la fórmula de Pablo con la de Lucas y la juanina. Ello sugiere que Pablo en I Cor. 11:23-25 ofrece aquella fórmula de las palabras eucarísticas que era de costumbre pronunciada *en la congregación de Antioquía.* Esta conclusión es confirmada por la observación siguiente: la fórmula juanina está relacionada a la de Ignacio de Antioquía. Teniendo en cuenta que Pablo fue a Antioquía a mediados de la cuarta década (cf. Hech. 11:26), esta fórmula de las palabras eucarísticas debe provenir por lo menos de aquellos tiempos".

2. Entre la vasta bibliografía que existe sobre el tema, citamos los siguientes trabajos:

A. Arnold: *Der Ursprung des Christlichen Abendmahls im Licht der neuesten liturgiegeschichtlichen Forschung*, 1937.

J. Jeremías: *Op. Cit.* (1a. edición en alemán en 1935).

T. Lohmeyer: *Von urchristlichen Abendmahl – Theologische Rundschau,* 1937.

Franz J. Leenhardt: *Le Sacrement de la Saint Cène*, 1948.

Max Thurian: *L'Eucharistie*, 1959.

J. Zizioulas, J.M. Tillard, J.J. von Allment: *L'Eucharistie*, 1970.

E. Schillebeckx: *The Eucharist*, 1968.

término griego *eucharistía,* se trata de una celebración de acción de gracias. La comunidad cristiana no podía vivir su fe sin agradecer todo aquello que había recibido de parte de su Señor. Este fue entregado para bien de todos, y corresponde que aquéllos que así creen, lo celebren con gratitud. En *tercer lugar,* y como consecuencia de lo anterior, la eucaristía se celebraba como el acto litúrgico que conmemoraba, que recordaba, la acción liberadora y salvadora de Dios. El mismo Jesús, al celebrar la Pascua da a la Cena ese carácter de memorial de la *liberación.* También él era consciente de que tenía que padecer frente a quienes se opusieron a él como sus enemigos (las autoridades judías, las romanas y todos aquéllos que se unieron a ellas en contra de su persona). Ese padecimiento fue resultado de la tradición de uno de sus discípulos, a la que se agregó el abandono de los demás, incluida la negación de Pedro. Ese padecimiento fue necesario para la *salvación* de todos los seres humanos. Y, en *cuarto lugar,* la eucaristía era en la iglesia primitiva aquel momento en el que se afirmaba el anuncio y la proclamación del Reino de Dios, esa nueva realidad que ya está presente en la historia y que será manifestada plenamente cuando se llegue al cumplimiento de los tiempos. En la iglesia del Siglo Primero las celebraciones de la Cena culminaban cuando, luego de los cánticos de alabanza, la comunidad expresaba su esperanza diciendo: "¡Ven, Señor Jesús!" "¡Maranatha!".

Lo que ocurrió en Corinto no fue una excepción. Casos parecidos pueden haber ocurrido en muchos otros lugares. Por eso, especialmente en los dos primeros siglos de la historia de la iglesia, existía un cuidado muy grande para evitar la profanación de la celebración de la Cena. J. Jeremías llega incluso a afirmar, a partir de sus investigaciones históricas, que si se omitió la fórmula de institución eucarística en el relato de la última cena en el Evangelio de Juan es porque el evangelista *"no quiso revelar la fórmula sagrada al público en general"*[3]. Esta decisión derivaría de la preocupación que existía entonces en algunas comunidades de proteger el carácter sagrado de la eucaristía y las palabras de la fórmula de institución eucarística de posibles profanaciones. Eso parece confirmarse por las maneras enigmáticas a través de las cuales se refieren a la eucaristía textos tales como el libro de *Hecho de los Apóstoles,* la *Epístola a los Hebreos,* la *Didajé,* y especialmente si se tiene en cuenta el secreto impuesto sobre todo el procedimiento bautismal y eucarístico por Hipólito[4]. Esos datos llevan a pensar que en aquellos dos primeros siglos de historia cristiana hubo fuertes tendencias que llevaban a separar la comida de la comunidad de la eucaristía, de tal modo que la comunidad podía participar en la cena de confraternización, en tanto que en la Cena del Señor propiamente dicha, sólo podían hacerlo los que habían sido bautizados.

La explicación que parece más apropiada para esta situación ya fue expuesta más arriba: se procuraba evitar la profanación de la Cena. Así como había ocurrido en la comunidad de Corinto, el hecho también pudo ocurrir en otras situaciones. Quizás no fue de la misma manera, aunque con consecuencias semejantes.

3. Cf. J. Jeremías: *Op. Cit.;* p. 125. Este asunto es dicutido *in extenso* por este autor en las páginas 125-137 de su libro.
4. Cf. Jeremías: *Ibid.*, 136.

Este problema de la profanación de la celebración eucarística no es exclusivo de los primeros tiempos del cristianismo. Sin necesidad de examinar todo el desarrollo de la historia de la iglesia, hay opiniones contemporáneas que señalan que, a través de nuevas y múltiples maneras, hoy también se asiste a una desvirtuación de la celebración eucarística. Esta no se produce porque no se tenga en cuenta la fórmula de institución de acuerdo a la tradición, sino por otros factores.

En primer término, al observar la poca apelación que tiene la eucaristía para la juventud actual, y al tratar de explicar este hecho, hay quienes critican el *formalismo* que muchas veces caracteriza la celebración de la Cena del Señor. Muchas veces la misma está marcada por una tremenda rigidez, que impide manifestaciones de libertad y espontaneidad: en vez de una celebración espiritual auténtica se asiste a una ceremonia puramente formal a la que se obliga a asistir a todos los creyentes so pena de cometer una omisión fatal.[5]

En segundo término, también se señala que la práctica actual de la eucaristía, especialmente en sociedades muy influidas por valores burgueses, individualistas y competitivos, tiende a estar teñida por un fuerte *intelectualismo.* Se preguntan estos críticos, y ciertamente tienen razón, cómo es posible que sociedades que se llaman a sí mismas cristianas puedan ofrecer continuamente la eucaristía, sin que esto llegue a producir una mejora de las relaciones de quienes comulgan juntos:

5. Cf. Tissa Balasuriya: *The Eucharistic and Human Liberation.* New York: Orbis; 1979. p. 74.

¿Cuál es el significado de cincuenta y dos eucaristías ofrecidas durante un año en una ciudad si como resultado de ello no se observa una reducción de la distancia que separa a los ricos en sus mansiones de los pobres en sus *favelas*? [6]

O sea, que cuando la participación en el sacramento no lleva a una solidaridad, a una unión con quienes sufren, la eucaristía deja de ser un acto de unidad (aquello que San Pablo reprochaba precisamente a los corintios). Es apenas un acto intelectual, idealista, sin consecuencias prácticas.

En tercer término, la celebración de la Cena, que es celebración de la comunidad, también puede desvirtuarse cuando la domina un fuerte sentimentalismo, según el cual la fe llega a ser una especie de recuerdo sentimental, íntimo, privado, del pasado de la historia santa. Esto ocurre cuando participamos del pan y del vino, considerándolos como símbolos del cuerpo y de la sangre de Jesucristo, entregados por *mi persona* solamente. Es como si la eucaristía sólo contara *para mí.* Se produce entonces una reducción del sentido del acto de Jesús, que no sólo tiene una dimensión personal, sino también un verdadero alcance cósmico.[7]

6. *Ibid.*, pp. 21-22. También, en el mismo libro, p. 36, quien afirma: "El énfasis en la teología de la eucaristía (durante la Edad Media) estaba dado sobre su efecto *ex opero operato,* esto es, a partir de la obra cumplida por su verdadera naturaleza, sin tener nada que ver con las condiciones de la persona que la celebra. Por lo tanto, no tenía en cuenta el elemento personal en la celebración eucarística, o sea, el *ex opera operantis.* De este modo la Eucaristía tendía a ser una ceremonia mecánica bajo el control de los sacerdotes sin mucho impacto sobre las relaciones entre las personas.

7. Cf. Max Thurian: *L'Eucharistie".* Neuchâtel et Paris: Delachaux & Niestlé; 1959. p. 247.

En cuarto término, otra desvirtuación de la celebración de la Cena del Señor ocurre cuando por presiones sociales de distinto tipo, ese acto que fue en la práctica de Jesús un memorial de liberación, se convierte en un medio de domesticación y opresión de los creyentes. No es secreto que este acto tan central para la fe cristiana, muchas veces se ha manipulado según los intereses de grupos dominantes. Es lo que ha llevado a Tissa Balasuriya, un sacerdote católico en Sri Lanka a denunciar "el condicionamiento social de la eucaristía". Diversos tipos de dominación (feudal, capitalista, colonialista, racial, sexual, etc.), han procurado manejar la práctica eucarística de acuerdo con sus valores y prioridades.[8]

Entonces se asiste a una pérdida del sentido de este sacramento, tan central para la fe cristiana. Esto es lo que ocurrió cuando las misiones cristianas acompañaron a las diversas empresas colonialistas de las naciones occidentales. Los pueblos que las potencias de Occidente sometieron no creyeron fácilmente en lo que significa el sacramento. No podían hacerlo. La inconsistencia entre la práctica sacramental de los dominadores, y el carácter de su dominación llegó a ser tan evidente, que la celebración de la Cena no conseguía apelar al espíritu de los dominados.

Esta pérdida de credibilidad de la práctica eucarística se ve confirmada incluso en el día actual por la

Tissa Balasuriya: *Op.Cit.*, p. 36. "Este tipo de celebración eucarística existió durante siglos cuando los cristianos se lanzaron en guerras contra los musulmanes, o entre sí, o contra los pueblos de América, Asia y Africa. La teoría de la salvación era tal, que entonces la eucaristía podía ser ofrecida por la mañana, y entonces los soldados podían luego ir a la batalla contra los nativos y aborígenes de esas tierras, especialmente si éstos rechazaban ser bautizados".

8. *Ibid.*, p. 2.

separación de los cristianos, que afirman en su gran mayoría creer en un solo Señor, compartir la misma fe, aceptar el mismo bautismo, pero que cuando llega el momento de acercarse a la Mesa de Jesús, se dirigen a lugares separados. Esta falta de unión entre quienes celebran y participan en el sacramento de la unidad quita fuerza y valor a la eucaristía. En efecto, los no cristianos difícilmente pueden tomar en serio a quienes afirman cumplir el acto central de la fe en Cristo, sin que ello tenga consecuencias concretas para la vida de los creyentes. Ante la distancia que muchas veces existe entre el acontecimiento eucarístico y las repercusiones concretas en la vida eclesial, los cristianos no pueden escapar a una crítica que los califica de irrealistas e ilusos (dos cosas que en la actualidad no son disculpables).

Esto es lo que ha llevado a Tissa Balasuriya a hablar de "la cautividad de la eucaristía":

> Está dominada por personas que no tienen experiencia de ser oprimidas. Incluso en los países pobres, los dirigentes de iglesia generalmente pertenecen o se alistan entre los miembros de la élite influyente. La Eucaristía no será liberada para que pueda ser verdadera en tanto las iglesias sigan cautivas de los poderes de este mundo. La Eucaristía tiene que ser liberadora: tiene que conducir a un amor genuino y a la práctica de compartir. Sin embargo, no llega a hacerlo. (. . .) Supera esta cautividad cuando los cristianos hacen una opción fundamental contra la opresión y luchan contra ella. Esto ya está ocurriendo entre ciertos grupos que se comprometen para luchar por una liberación humana integral en la perspectiva de Jesucristo.[9]

9. *Ibid.*, p. 62.

Esta "cautividad de la eucaristía" se expresa sobre todo a través de tres rasgos principales. *Primero,* cuando la celebración del sacramento no llega a ser un motivo que impulsa a la comunidad a procurar plasmar en liberaciones concretas el carácter fermental del sacramento. Es decir, que cuando la práctica de la Cena del Señor no conduce a un compromiso de lucha por la libertad y la justicia, pone de manifiesto que está bajo la influencia de poderes que la alteran. *Segundo,* cuando la eucaristía no ayuda a construir la unidad del pueblo que celebra, cuando incluso conduce a separarlo, entonces se encuentra dominada por un espíritu y/o intereses muy diferentes de aquellos que Jesús tuvo en el momento de pedir a sus discípulos que la siguieran celebrando en su memoria. La eucaristía es testimonio de unidad. Sin embargo, muchas veces es celebrada inconsideradamente, a pesar de las divisiones que separan al pueblo. En ese momento, pierde su carácter de desafío. Da la apariencia de una unidad que no existe, y que aún hay que empeñarse por lograr. Esto no quiere decir que no es posible celebrar la eucaristía mientras no se llegue a construir la unidad, sino que para superar la cautividad en la que puede encontrarse, es necesario participar en la misma con un espíritu dispuesto a superar divisiones que muchas veces paralizan y debilitan al pueblo de Dios. *Tercero,* una eucaristía que existe en cautividad es un obstáculo a la evangelización del pueblo. En este sentido, Max Thurian afirma:

> Por otra parte, los hombres de hoy y sobre todo los jóvenes, no se conforman con palabras, están cansados de esa verborragia de la reconciliación que no llega a

tener una realización concreta. Quieren, en su necesidad de ser auténticos, gestos que involucren las actitudes ecuménicas intelectuales. Es imposible para los cristianos, tan próximos de la fe a los ojos del mundo, hablar de la eucaristía como signo de unidad fraternal en Cristo sin compartirla en una celebración común, so pretexto de que lo contencioso teológico de su división aún no está del todo resuelto. Se trata de un escándalo que compromete la evangelización.[10]

Si quedáramos con esta visión de la práctica eucarística en nuestro tiempo, además de ser parcial, sería también injustamente pesimista. En efecto, los procesos de renovación de las iglesias en estas últimas décadas son un testimonio de que, en una forma u otra están relacionados con una práctica intensa de la Cena del Señor. Sea en Europa Occidental, el movimiento ecuménico de jóvenes animado por la Comunidad de Taizé, sean las celebraciones entre las Comunidades Eclesiales de Base en América Latina, sea el esfuerzo decidido de los cristianos asiáticos por participar en los grandes movimientos sociales de sus pueblos, sean los procesos de evangelización en Africa, todos esos desarrollos se llevan a cabo con una concomitante intensificación de la práctica de la cena del Señor.

Por ejemplo, a los ojos de muchos cristianos, la eucaristía continúa representando un verdadero desafío para continuar avanzando en el camino de la unidad de la iglesia.[11] Ello se debe a que a través de compromisos comunes se produce una convergencia muy grande de perspectivas, que, sin embargo, no puede confirmarse muchas veces mediante la partici-

10. Max Thurian: *Une Seule Eucharistie.* Taizé: Ed. Les Presses de Taizé; 1973. p. 11.
11. *Ibid.*, p. 10.

pación en la misma mesa. Este hecho, muy doloroso por cierto, que es motivo de frustración para algunos, lleva a otros a empeñarse con ahínco en el trabajo ecuménico, procurando hacer avanzar por todos los medios la causa de la unidad de la Iglesia. O sea, sienten la necesidad de que la comunión fraternal que experimentan entre sí, llegue a ser celebrada cuanto antes en torno a una misma mesa de comunión a la que todos pueden sentarse juntos.

Cuando se reflexiona acerca del significado del Reino de Dios para Jesús, una de las cosas que llaman la atención es que en varias situaciones Jesús comparó el Reino con un gran banquete (Mt. 22:1-14; Luc. 14:15-24). La comensalidad aparece como una de las marcas del Reino. La ocasión de comer y beber juntos crea la posibilidad de un acercamiento entre las personas. El diálogo fluye, las amistades se anudan y refuerzan, se alcanza un nivel más profundo en las relaciones humanas. El Reino de Dios puede ser comparado con aquel banquete en el que los hambrientos serán saciados, porque se llegará a compartir con plenitud entre quienes tienen y aquéllos que viven en necesidad. Por eso los que ahora tienen hambre pueden ser llamados "Bienaventurados". "Felices los que ahora tienen hambre, porque serán satisfechos" (Luc. 6:21). Esta fraternidad que se crea en torno a la mesa llega a ser signo de la cualidad diferente de la comida eucarística. Como muy bien lo señaló Schillebeckx:

> La primera forma sacramental de la Eucaristía no es simplemente 'pan y vino', sino la *comida* en la que se come el pan y se bebe el vino. Después de todo, los sacramentos no son elementos aislados, sino acciones humanas en las que están participando cosas y gestos; por ejemplo,

lavar con agua, *ungir* con aceite, *colocar* las manos, etc. Así, en la Eucaristía, los alimentos, la ocasión de comer juntos y la comunidad de creyentes en torno a la mesa son elementos y señales que esencialmente se pertenecen unos a otros –son la materia *humana* que llega a ser sacramento.[12]

Una reflexión acerca de ese aspecto importante de la eucaristía, así como de la contradicción que se advierte en torno a la práctica de la misma, han motivado precisamente las páginas que siguen. No cabe dudas de que hay en la eucaristía muchos elementos que promueven la vida humana y la renovación social.[13] No obstante, y como ya fue señalado previamente, hay otras manifestaciones relacionadas con la eucaristía que deben ser corregidas, pues desvirtúan el significado de esta celebración.

Las reflexiones que se desarrollan en los capítulos siguientes intentan, a partir de la reflexión bíblica, dar elementos que ayuden a analizar nuestra práctica de la Cena del Señor, para corregir posibles desvirtuaciones y dentro de lo posible mantenernos en el espíritu de la última cena de Jesús. Es nuestro anhelo que sean de ayuda para la renovación litúrgica y espiritual de nuestras comunidades cristianas.

12. E. Shillebeckx: *The Eucharist.* London & Sidney: Ed. Sheed and Ward; 1968. pp. 134-135.
13. En el libro de John Poulton: *The Feast of Life.* Geneva: Ed. W.C.C.; 1982, se encuentran numerosos y excelentes ejemplos de lo que acabamos de indicar. Remitimos al lector a los mismos.

CAPITULO I

MEMORIAS DE LIBERACION

Hablen a la comunidad de Israel y díganle: El día décimo de este mes, tome cada uno un cordero por familia, un cordero por casa (. . .). Ustedes lo reservarán hasta el día catorce de este mes. Entonces toda la gente de Israel lo sacrificará al anochecer. (. . .) Y comerán así, con el traje puesto, las sandalias en los pies, y el bastón en la mano. Es una pascua en honor de Yahvé. (. . .) Ustedes harán recuerdo de esta fiesta año tras año; y lo celebrarán con una fiesta en honor a Yahvé. Esta ley es para siempre: los descendientes de Ustedes no dejarán de celebrar este día. (. . .). Ustedes celebrarán la fiesta de los Azimos en el día que los hice salir de Egipto. Ustedes celebrarán ese día de generación en generación.

(Exodo 12:3; 6; 11; 14; 17).

Es propio de la conciencia religiosa establecer la distinción entre lo sagrado y lo profano. Lo primero aparece rodeado de misterio, lo que caracteriza específicamente situaciones que pueden ser consideradas extraordinarias. Lo segundo tipifica la vida de todos los días, el ámbito de lo cotidiano y ordinario. Los acontecimientos extraordinarios adquieren para la conciencia religiosa tanta densidad, que necesitan celebrarse. Eso ocurre con ocasión de los días fastos, cuando se celebran las fiestas que de una manera u otra pretenden relacionar la fe de los creyentes actuales con aquellos actos del pasado en los que se funda la fe.

La celebración de la pascua por los judíos se inscribe dentro de este marco de la expresión de la fe en días festivos. Cada año, al comienzo de la primavera, empezando el jueves 14 de Nissán por la noche y culminando el 15 hacia el atardecer, los creyentes judíos recuerdan aquel momento extraordinario en el que Yahvé los liberó del yugo egipcio. Ocasión que escapa a toda comprensión común. Aquel pueblo descendiente de esclavos al servicio del faraón, tomaba una vez más conciencia de su libre identidad comiendo la pascua. Esta era una comida simple: cordero, pan sin levadura, hierbas amargas, alimentos destinados a nutrir la fe de los festejantes antes que sus cuerpos. Alimentos que recordaban las dificultades que enfrentaron quienes salieron de Egipto hacia la liberación, la que se fue concretando pese a sus dudas y su escepticismo. Era una *comida* festiva, que hacía memoria de aquella liberación extraordinaria.

Es evidente que la última cena de Jesús con los discípulos se situó en el marco que correspondía a la celebración pascual. Aunque todavía no se ha definido la polémica sobre si esa comida fue una celebración pascual o no, nos parece que el contexto de ese momento fue el de la fiesta de la pascua, lo que indudablemente debe haber influido sobre la forma como la comunidad de Jesús y los discípulos abordaron lo que posteriormente fue llamado "la última cena".

Según el testimonio del Evangelio de Lucas, Jesús dijo a sus compañeros: "En verdad, he deseado muchísimo comer esta Pascua con ustedes antes de padecer" (Luc. 22:15).

Según el relato de los Evangelios Sinópticos, no cabe dudas de que esa cena tuvo lugar en ocasión de la pascua, o sea en las horas que siguieron a la puesta del sol de jueves 14 de Nissan. Según la tradición judía, luego del poniente ya comienza el día siguiente. Por lo tanto, si nos atenemos a las historias que nos presentan Mateo, Marcos y Lucas, no puede negarse el carácter pascual de la cena que Jesús tuvo con los discípulos la última noche antes de ser muerto en la cruz.

La situación se presenta de manera diferente en el Evangelio de Juan, cuyo relato de la crucificción de Jesús permite comprender que ésta tuvo lugar el 14 de Nissan, o sea el día de preparación para la pascua. En efecto, en Jn. 18:28 y especialmente en 19:14, se percibe esta diferencia entre el cuarto Evangelio y los tres que lo preceden en el Nuevo Testamento.

Tales son las divergencias entre la tradición juanina y la de los sinópticos respecto a la fecha de la crucificción de Jesús, consecuentemente, al día en el que Jesús comió por última vez con el grupo de los doce. Sea como fuere, el contexto de todos estos acontecimientos era el de la celebración pascual. Si a esto unimos la claridad de la afirmación de Jesús citada anteriormente (cf. Luc. 22:15), nos parece que debemos intentar comprender el sentido de la cena a partir de lo que podía significar en aquellos tiempos una comida pascual, a la que Jesús dio un nuevo y más profundo significado.

Cuando aquellos esclavos hebreos en Egipto tuvieron que salir luego de comer el cordero pascual, lo hicieron de prisa "con el traje puesto, las sandalias en los pies y el bastón en la mano" (Ex. 12:11). Fue una comida rápida. No había tiempo para prolongarla en torno a la mesa. La liberación no podía esperar. Era "un sacrificio en honor de Yahvé" y lo llevaron a cabo como un pueblo en marcha, una comunidad de peregrinos que se lanzaba hacia nuevos mañanas siguiendo los impulsos de su fe en un Dios liberador.

Desde entonces se celebra la pascua, *fiesta de liberación.* Israel recuerda cómo fue sacado de una situación en la que era oprimido y explotado. Festeja aquel momento en el que Dios lo llamó y lo condujo a la libertad. Momento extraordinario, fasto, que rompió con el dolor y la pesadumbre cotidiana. Porque esa liberación se concretó, el Dios que libera a los cautivos y oprimidos puede volver a repetir su acto emancipador.

Por lo tanto, la fiesta pascual es una oportunidad de alegría y esperanza. Esto se advierte cuando se tiene en cuenta que *por lo menos* hay que beber cuatro copas durante el desarrollo de la comida. Son cuatro las veces en las que la copa debe rebosar[1] : en una *primera oportunidad para expresar la alegría* que causa la acción poderosa de Yahvé que liberó a su

1. "En una época cuya fecha no se puede precisar, la costumbre hizo que se agregaran a los alimentos prescriptos cuatro copas de vino. Todos los comensales debían beber de las cuatro copas, incluidos las mujeres y los niños, pues ellos también habían participado en el prodigio de la liberación" (Pes. 108a; 108b 15)". Franz J. Leenhardt: *La Mort et le Testament de Jesús.* Genève: Labor et Fides; 1983. p. 42.

Véase también, la exposición mucho más detallada del asunto en otro libro de Franz J. Leenhardt: *Le Sacrement de la Saint Cène.* Neuchâtel et Paris: Delachaux & Niestlé S.A.; 1948. pp. 15-21.

pueblo de Egipto. *La segunda copa, llamada del recuerdo, zikkarón,* es la que realmente introduce a los elementos más característicos de la comida pascual. Con ella se hacía memoria de aquel tiempo de dolor y oprobio de los esclavos judíos en Egipto. Tiempo de explotación y de hambre, de humillación y de vergüenza. Pero inmediatamente se evocaba el poder del Dios liberador que sacó al pueblo de su miseria material y espiritual para colmarlo de bienes. Es en este contexto que puede apreciarse el alto valor simbólico de los alimentos que debían ingerirse: el cordero del sacrificio, los panes ázimos (no hubo tiempo para que leudasen) y las hierbas de gustos amargos. Al mismo tiempo que se hacía memoria de la salida de Egipto, también se llevaba a cabo –en términos simbólicos– una reactualización de la redención. "Alimentos pobres, que no tenían gran valor, llegaban a ser para los creyentes el signo de su participación en la redención llevada a cabo por Dios".[2]

La tercera copa es la de la bendición: se daba gracias a Yahvé por lo que significaba la comida pascual, y se pronunciaba una bendición. Este era un momento muy importante en la fiesta. Pero aún más interesante es *la cuarta copa:* la de la alabanza (*hallel*) porque la liberación era verdadera. En ese momento aparece el carácter escatológico de la comida pascual, cuando al mismo tiempo que se elevaban las copas se entonaban los salmos *del Hallel* (Salmos 111-118), cuyas notas de esperanza no pueden ser ignoradas:

> La piedra que dejaron los maestros
> se convirtió en la piedra principal:
> Esta es la obra de Dios,

2. F.J. Leenhardt: *Ibid.*, p. 18.

es una maravilla a nuestros ojos.

Este es el día que ha hecho el Señor,
gocémonos y alegrémonos en él.
Danos, Señor, danos la salvación,
danos, Señor, danos prosperidad.

'Bendito sea el que viene
en el nombre del Señor,
nosotros los bendecimos,
desde la Casa de Dios'.

El Señor es Dios, él nos ilumina.
Formen en el camino
con ramos en la mano
hasta llegar muy cerca del altar.

Tú eres mi Dios y yo te doy las gracias,
Dios mío, yo te alabo.
Den gracias al Señor, pues él es bueno,
pues su bondad perdura para siempre.

(Salmo 118: 22-28)

Al rememorar la liberación de Egipto, el pasado llegaba a ser como una prenda del futuro: de ahí que algunos Salmos *del Hallel* fueron comprendidos a partir de una perspectiva mesiánica. La liberación cumplida abría el camino a la esperanza de liberaciones futuras. La comida pascual significa, por lo tanto, una doble celebración de la liberación: por un lado se festeja la liberación de Egipto, de carácter pretérito, histórico. Y, al mismo tiempo, por otro lado, se exalta la liberación escatológica, de los grandes poderes del mundo, aquellos que hoy reencarnan la opresión faraónica.

Hay un vocablo que vuelve una y otra vez en nuestro texto, y que resume el sentido de la pascua de Israel: *liberación.* No puede ser de otra manera, pues durante la fiesta se debía rememorar tres cosas según Rabbi Gamaliel: Esas tres cosas están en relación con el Exodo:

> Quien no ha hecho mención durante la Pascua de las tres cosas siguientes, no ha cumplido con su deber. . . *Pesah,* porque Dios ha franqueado las casas de nuestros padres en Egipto; *massah*, porque nuestros padres han sido liberados en Egipto; *maror*, porque los egipcios hicieron amarga la existencia de nuestros padres en su país".[3]

La celebración de la pascua es el testimonio de la fe en el Dios liberador, frente a quien no pueden triunfar los poderes del mundo. Es el Dios que hace justicia a los pobres, a los pequeños, a quienes padecen las consecuencias de la iniquidad de los fuertes y soberbios. La liberación de Dios llega a ellos, como en su momento llegó a los judíos en Egipto. Por eso hay que recordar *pesah* y *massah.* Esto no nos debe inducir a dejar de lado la memoria de la opresión, del avasallamiento ejercido no sólo sobre nosotros sino también sobre los demás, antes o al mismo tiempo que sobre nuestras personas. Por eso, en la pascua también hay que mencionar *maror.*

Estas tres cosas son fundamentalmente para la fe hebrea. El Decálogo comienza con la afirmación. *"Yo soy Yahvé tu Dios, el que te sacó de Egipto, país de la esclavitud"* (Ex. 20:2; cf. también Deut. 5:6). El Dios que se acordó de su pueblo esclavo es el Dios liberador. Por eso es el único Dios verdadero. Es el Dios que no queda preso ni de la naturaleza ni de los condicionantes históricos. Por eso es más fuerte que los

3. *Pesahim* 10,5. Citado por Robert Martin-Achard: *Essai Biblique sur les Fêtes d'Israel.* Genève: Labor et Fides; 1974, según K. Khruby: *La Paque Juive du temps du Christ à la lumière des documents de la littérature rabbinique.* O.S., 6, 1961, pp. 81-94.

poderes de este mundo. Es el Dios que transformó la amargura de la vida en Egipto en la alegría de la existencia en una tierra de abundancia.

Ciertamente, el sentido de la pascua judía no se abrió totalmente cuando el pueblo conducido por Moisés se lanzó hacia su liberación. A medida que los descendientes de quienes participaron en el Exodo fueron enfrentando nuevas contingencias históricas con desafíos específicos, se fue precisando el significado de la fiesta. Robert Martin-Achard señala que

> la Pascua sufrió muchas modificaciones en el curso de la historia de Israel; asistimos sucesivamente a su historización (con el texto del Yahvista), a su nacionalización (con el texto del Deuteronomio), a su sacralización (con el texto de P, especialmente del Levítico).[4]

Pero interesa sobre todo subrayar que el sentido de la pascua está también ligado a la *expiación:* los delitos cometidos y las faltas habidas son borradas por medio del sacrificio del cordero. O sea, que además de la memoria de la liberación de Egipto, y de la esperanza de liberaciones venideras, a través de la inmolación del animal que el pueblo ofrece a Dios, se participa en la emancipación del ser, rescatándolo de sus culpas. Fue luego del período exílico, o cuando el pueblo retornó desde Babilonia a Palestina, en tiempos en que la influencia sacerdotal era muy grande, que la sangre –cuya marca en las puertas de las casas de los hebreos en Egipto fue *protectora*– pasó a ser expiatoria. La sangre protectora para la generación de quienes salieron de Egipto acompañando a Moisés pasó a cubrir también a las generaciones posteriores. Según la liturgia judía, toda persona que participa en la co-

4. R. Martin-Achard: *Op. Cit.*, pp. 34-35.

mida pascual debe considerarse a sí mismo como si él o ella hubiese participado en aquella liberación.

Esta tradición, tan influida por la interpretación sacerdotal, es la que predominaba en tiempos de Jesús. Cuando Jesús propuso a sus discípulos comer la pascua, en ese momento tan tenso y crucial de su existencia, inevitablemente debía hacer frente a varios problemas. Uno de ellos radicaba precisamente en el hecho de que la casta sacerdotal de Israel se había apropiado de la fiesta de la liberación del pueblo. Quienes formaban parte de éste debían ir a Jerusalén, comprar el material sacrificial en el atrio del templo, pues sólo así podían pensar que la ofrenda de la comida pascual iba a expiarlos y purificarlos. La fiesta de la liberación, bajo el control del poder detentado por quienes administraban el templo de Jerusalén, se había transformado en ocasión de nueva opresión para el pueblo.

Evidentemente, para Jesús (que ya se había confrontado duramente con la constelación de fuerzas que constituían el poder del templo, que, por otra parte ya no ocultaba su intención de hacer desaparecer a Jesús (Cf. Mc. 14:1-2; Luc. 22:1-2; Jn. 11:47-ss, especialmente vers. 53), uno de los desafíos que se le planteaban consistía en cómo celebrar la pascua de tal modo que la fiesta fuese una ocasión para que resaltase el elemento mayor de su enseñanza: la inminencia del Reino de Dios como reino de justicia y libertad. O sea, Jesús abordó la solemnidad pascual no como la obligación de repetir un ritual, sino como la ocasión de una *fiesta*. Llama la atención que en el relato de los Evangelios no se menciona el cordero como elemento del sacrificio, y que en el texto de San Pablo en su Ia. Carta a los Corintios sobre la manera de celebrar "la Cena del Señor", ya no aparece ninguna indicación del animal para el sacrificio. En la Cena de Jesús los elementos son apenas *pan y vino.* Es la celebración sencilla de los pobres, de los que apenas tienen para sobrevivir.

Para Jesús, como fiesta, la pascua fue una conmemoración de la obra del Padre, que sacó al pueblo de la esclavitud a la libertad, de la tristeza a la alegría, del oprobio a la dignidad, de las tinieblas a la luz. Esta fiesta es una fiesta del pueblo: no había en su concepto lugar para el control sacerdotal. Jesús no acepta que la inmolación de la víctima propiciatoria sea hecha por los sacerdotes: no hay necesidad de ello. Si sacrificio tiene que haber, entonces debe ser el de sí mismo. La expiación no puede ser ritual, sino concreta, histórica. No consiste en la repetición lutúrgica, sino en una persona que se da por los demás. Como se expresa Leenhardt:

> El sacrificio de Jesús no es simplemente un acto de fidelidad consigo mismo, una exigencia del honor, una especie de probidad profesional. Jesús decidió obedecer a la voluntad de Dios hasta el último sacrificio a fin de dar al amor redentor de Dios la posibilidad de alcanzar a los pecadores a pesar de la interrupción dramática de su ministerio.

O sea, por un lado, al colocarse a sí mismo como la víctima del sacrificio, Jesús quita al poder del templo la autoridad de control que había adquirido, luego del retorno del exilio, sobre la fiesta de la liberación del pueblo. Y, por otro lado, al celebrar la pascua con sus amigos más próximos en un espacio que se situó fuera de la censura y de la vigilancia sacerdotal, Jesús devolvió al pueblo el sentido de la fiesta pascual como memoria de la liberación. Una liberación que no sólo es del pueblo, sino de cada uno de aquéllos que lo componen.[5]

Cuando se leen los evangelios, una de las cosas que inmediatamente llama la atención es la importancia de las comidas en la vida y las enseñanzas de Jesús.[6] No es el momento de analizar aquí esos pasajes; basta recordar que Jesús habló del Reino de Dios como un *banquete* en el que pueden participar quienes generalmente son exluídos y marginados (Mt. 22:1-14; Luc. 14:15-24). La comensalidad es una característica sobresaliente del Reino. Cuando nos sentamos en torno a la mesa, como personas que comparten luchas y esperanzas, hay un sentimiento de unión que refuerza la amistad. El compartir los alimentos, el pan y el vino que todos comemos y bebemos es el acto objetivo que garantiza esa unión.

Entonces, ¿por qué dar tanta importancia a la última cena de Jesús con los discípulos? Por un lado, porque fue una oportunidad en la que Jesús se despidió de sus amigos más cercanos: el relato del cuarto Evangelio pone de relieve este hecho al dar una gran extensión en su texto a los hechos, conversaciones y discursos de Jesús en esa oportunidad. Pero, por otro

5. Como lo ha escrito Franz J. Leenhardt: "De este modo, Jesús no rompió con la tradición de su pueblo. El vivió con la seguridad de que por su ministerio, por su persona, esta tradición abordaba una nueva etapa en la que desembocaba la larga y tumultuosa historia de las relaciones de Dios con Israel. Abraham, Isaac, Jacob, son siempre para él prototipos de la fe; tendrán lugar en el festín del Reino. Sin embargo, en el día de hoy, no basta invocar su lejano patrocinio, ni de reivindicar este glorioso linaje. Es necesario responder al llamado que Dios hace a su pueblo infiel. "Arrepentíos, pues el Reino de Dios está cerca". *Op. Cit.*, p. 45.
6. Joachim Jeremías: *The Eucharistic Words of Jesus.* London: SCM Press Ltd.; 1966. p. 47.

lado, porque la comida pascual en aquella noche fue diferente. En efecto, en esa oportunidad Jesús afirmó fuertemente el carácter escatológico de la pascua. Esta dimensión, que ya estaba presente en la celebración de la fiesta, Jesús la acentuó: según la narración de Lucas, en dos oportunidades señala que esa comida es la que antecede a aquella que tendrá lugar cuando llegue el Reino de Dios.[7] Más que un acto memorial de la liberación, la pascua de Jesús fue una proclamación del Reino.

En momentos previos a la traición de uno de sus compañeros y al abandono de casi todos los demás, Jesús, que ya tenía conciencia de que iba a ser entregado (cf. Luc. 22.21 y paralelos), afirmó que la venida del Reino no es una ilusión, sino un hecho muy real. La liberación no sólo ocurrió, sino que ha de acontecer. Incluso de modo mucho más profundo y global que en el pasado.

La comida pascual es indicación de que tal liberación tendrá lugar. En ese sentido es ocasión de *renovación*, de un nuevo comienzo, ganando fuerzas para acompañar ese *peregrinar* de la comunidad de la fe hacia el Reino. De esta manera culmina la intención de Jesús para devolver la fiesta al pueblo: es así que expresa su conciencia de fidelidad al Padre:

No se puede olvidar que la Pascua se refiere a un aconte-

7. Luc. 22:14-18: "Llegada la hora, Jesús se sentó a la mesa con sus apóstoles. Les dijo: "En verdad, he deseado muchísimo comer esta Pascua con ustedes antes de padecer; porque, les aseguro, *ya no la volveré a celebrar hasta que sea la nueva y perfecta Pascua en el Reino de Dios.* Tomó una copa, dio gracias y les dijo: "Tómenla y repártanla entre ustedes, *porque les aseguro que ya no volveré a beber más los productos de la uva hasta que llegue el Reino de Dios*" (subrayado mío).

> cimiento que es, al mismo tiempo, la migración de un clan de seminómades, la liberación de un grupo de esclavos, y el acto de Dios en favor de una pobre gente. Este gesto de Yahvé revela su naturaleza profunda, devela su primera y constante preocupación, que es la de liberar a los seres humanos de los poderes que los aplastan. Ese acto expresa su voluntad de redimir al mundo. Hace de la salvación (liberación) la primera y la última palabra del Dios de la Biblia.[8]

Cuando se celebra la pascua, resulta imposible, pues, ignorar las liberaciones que se han concretado. Esta fiesta no puede ser de dolor o de mero recuerdo. Las memorias de la liberación se refieren al presente y se proyectan hacia el futuro. Al presente, para discernir en el proceso histórico y personal que vivimos las maneras cómo Dios hoy nos visita para darnos nuevas libertades frente a la opresión a la que nos someten las fuerzas opresoras. Hacia el futuro, para aguardar con una tensa esperanza la gran liberación, el Reino de Dios.

8. R. Martin-Achard: *Op. Cit.*, p. 49.

CAPITULO II

EL DIA DE DECISION

> Llegó el día de los Panes sin Levadura, en que se debía sacrificar la Pascua. Entonces Jesús envió a Pedro y a Juan, diciéndoles: 'Vayan a preparar lo necesario para que celebremos la Cena de Pascua'.
>
> (Lucas 22.7-8)

Cuando se intenta abordar aquellas difíciles y tensas horas que precedieron a la muerte de Jesús hay que recordar permanentemente que los relatos de que disponemos de las mismas no nos ofrecen material suficiente para poder comprender hasta cierta profundidad *todo* lo que Jesús hizo, dijo y quiso dejar como testamento a sus discípulos. Cada persona simpre es más de lo que se sabe de ella. Por eso mismo, es con mucho cuidado que debemos aproximarnos a los textos que nos hablan de aquellos momentos tan decisivos de su vida.

Para ello es necesario evitar separar esos acontecimientos del resto de la vida de Jesús. Los hechos de esa noche y del día siguiente son la culminación de toda una trayectoria en la que se advierte una constante: la afirmación del propio Jesús como persona a través de un permanente ejercicio de la libertad. Es verdad que únicamente en el Evangelio de Lucas se encuentra el relato de aquella iniciativa que lo llevó, cuando sólo tenía doce años de edad, a escuchar y a hacer preguntas a los maestros de la Ley. Tanto María como José estaban sorprendidos y atónitos frente a aquella manifestación de su libertad (cf. Luc. 2:41-52).

Ese ejercicio de la libertad naturalmente lo condujo a una práctica liberadora de los oprimidos, como él mismo lo proclamó en la Sinagoga de Nazaret al leer el texto del profeta Isaías (61:1-2), luego de lo cual agregó: "Hoy se cumplen estas profecías que acaban de escuchar" (Luc. 4:14-ss). En este sentido hay una clara correspondencia entre la práctica de Jesús y su nombre. Este, muy común entre los judíos de su época (pasó a dejar de serlo a partir del siglo II D.C.), quiere decir que "Ja (Yahvé) salvará o *liberará*".

Esta constante de la vida de Jesús ha sido subrayada justamente por Leonardo Boff en su libro *Jesus Cristo Libertador.* Apoyándose en el exégeta protestante alemán Ernst Käsemann, Boff señala que:

> basta recordar el siguiente episodio que pone de manifiesto maravillosamente la libertad y el horizonte abierto de Jesús: "Juan le dijo: 'Maestro, vimos a uno que no era de los nuestros y que expulsaba a los espíritus malos en tu nombre, pero como no está entre nosotros, se lo prohibimos". Jesús contestó: "No se lo prohiban, ya que no es posible que alguien haga un milagro en mi nombre y luego hable mal de mí. Pues el que no está contra nosotros, está con nosotros" (Mc. 9:38-40; Luc. 9:49-50). Cristo no es sectario como muchos de sus discípulos a lo

largo de la historia. Jesús vino para ser y vivir el Cristo, y no para predicar a Cristo, o anunciarse a sí mismo.[1]

Esa práctica de la libertad en Jesús se advierte en su posición radical frente a los poderes que de una forma u otra gravitaban sobre aquel pueblo de Palestina al que dirigió su mensaje. No podía ser de otro modo: la defensa de la libertad, el ejercicio de la liberación, no es una proclama sino un acto concreto. La mejor manera de respetar ese derecho a ser libre es a través del uso de nuestra libertad. Eso explica la madeja de conflictos con las autoridades políticas, con las religiosas, con los saduceos, fariseos, maestros de la Ley, etc., que está siempre presente en la vida de Jesús.[2]

La práctica de la libertad de Jesús fue la expresión de su fe en el Padre: La *idea esencial* de Jesús aparece como una vida penetrada por la divinidad. En todo momento próximo a Dios, no sabe sino de Dios y de su voluntad.

> *La esencia de tal fe es la libertad.* Pues en esta fe que habla de Dios, el alma dilatándose, abraza lo envolvente. Al experimentar la ventura y desventura de este mundo, despierta a sí misma. Lo finito, lo mundano, no puede mantenerla atada. De la entrega a una confianza incom-

1. Leonardo Boff: *Jesús Cristo Libertador.* Petrópolis: Ed. Vozes, 1972: pp. 107-108. (9a. edición).
2. Hay un texto de Karl Jaspers que ilumina desde el punto de vista de la comprensión filosófica esta actitud vital de Jesús: "Allí donde existe la libertad, ésta se encuentra en contradicción con la obligación; y si ésta llegara a ser vencida completamente, si cayeran todos los obstáculos, la misma libertad se desvanecería.

"Ocurre que no somos independientes hasta que nos encontramos al mismo tiempo inextrincablemente ligados al mundo. No se alcanza la independencia real si nos retiramos del mismo. Ser independiente en el mundo es comportarse frente a éste de una manera particular: es estar en él y al mismo tiempo no estar en él, estar a la vez en él y fuera de él". *Introduction à la Philosophie.* Paris: Plon; 1952. p. 159.

prensible extrae ella una fuerza infinita; pues en la máxima blandura del corazón no fortificado, en la aplastante conmoción, le es dable ganar la conciencia de estarse brindada a sí misma por Dios. El hombre creyente se vuelve libre de verdad.[3]

La energía espiritual que demostró Jesús a lo largo de su ministerio público hizo que ese ejercicio de la libertad hiciera de esa parte de su existencia una secuela de situaciones muy difíciles, en las que el riesgo estuvo concretamente muy presente. Por un lado, frente a sus propios discípulos, a quienes les preguntó sobre su identidad como Mesías (Mc. 8:27-33 y paralelos); quienes a pesar de haber aceptado la confesión de Pedro, no llegaron a comprender la verdadera dimensión de su práctica liberadora que debía culminar en la ida a Jerusalén para confrontar allí los poderes políticos, religiosos, económicos, sociales y culturales que hacían padecer injusticia al pueblo explotado de Palestina. Ante la confesión de Pedro, Jesús sabe que le es necesaria esa confrontación, con todas sus consecuencias. Esa fue una expresión de su fe y de su espíritu libre (y liberador).

Ante esa insólita demostración, "los Doce se preguntaban en qué pararía esto, y la gente que lo seguía tenía miedo" (Mc. 10:32). Constatando esa situación, y demostrando cuán clara era su conciencia al marchar hacia Jerusalén,

> El, reuniendo otra vez a los Doce, les anunció lo que iba a pasar: 'Fíjense que subimos a Jerusalén y el Hijo del Hombre será entregado a los jefes de los sacerdotes y a los maestros de la Ley. Lo condenarán a muerte y lo

3. Karl Jaspers: *Los Grandes Filósofos.* Buenos Aires: Sur; 2a. edición 1971 - pp. 225-226.

entregarán a los extranjeros, que se burlarán de él, lo escupirán, lo azotarán y lo matarán. . . (Mc. 10:32b-34).

O sea, frente al mayor peligro, Jesús afirma su voluntad autónoma, su determinación propia. La situación era sin salida. Al encararla, Jesús da muestra de cómo la práctica de la libertad fue llevada por él hasta un grado de radicalidad insostenible para quienes lo acompañaban. Haber actuado de otro modo hubiese significado quitar sentido a su obra, a su fe, a su movimiento, a su propio ser. Como lo percibe muy bien Jaspers,

> Esta independencia en su inserción en el mundo determina la maravillosa libertad interior de Jesús. Las realidades mundanas no lo seducen con sus absolutos relativos, ni las formas humanas del saber con el saber total, ni las reglas y leyes con dogmatismos rígidos; tales tentaciones se estrellan contra aquella libertad que emana de su íntima certidumbre acerca de Dios. Además, el propio ser está abierto al mundo; la vista penetra todas las realidades, en particular el alma de los hombres, el fondo de su corazón, que nada puede ocultar a la mirada clarividente de Jesús.[4]

Todo esto es lo que da a la vida de Jesús esa coherencia y transparencia excepcionales que tanto la distinguen.

"Llegó el día de los Panes sin levadura. . .". Momento de preparación de la pascua. Los acontecimientos, desde que Jesús entró en Jerusalén, se habían desencadenado, como impulsados por un torbellino: su acceso triunfal a la ciudad; la purificación del templo; sus discusiones con los fariseos, saduceos y maestros de la ley; vigilado por espías; su predicción de la

4. **Karl Jaspers: *Ibid.*, p. 226.**

destrucción de Jerusalén; etc., anunciaban que sus palabras a los discípulos sobre la suerte que le esperaba no habían sido mero ejercicio de retórica.

Esos acontecimientos eran la culminación de su ministerio. Jesús irrumpió anunciando la proximidad del Reino (Mc. 1:15). El tiempo se había cumplido. Era momento para cambiar. Hora de arrepentimiento. Ocasión para creer en la Buena Noticia. Palabras que para los pobres y explotados campesinos de Galilea tenían mucho sentido. Cada año, en ocasión de las grandes fiestas religiosas de Israel debían ir a Jerusalén para cumplir fielmente con los sacrificios rituales. Trabajadores de la tierra, en contacto permanente con animales, eran considerados impuros, inmundos. Jesús vino para liberarlos: los actos de purificación que llevó a cabo fueron de gracia, sin tener necesidad de sacrificios previos, como exigían los sacerdotes del templo (cf. Mc. 7:24-30; Mc. 9:14-29; Luc. 8:26-33).

Jesús inauguró un tiempo nuevo: el de la gracia y la liberación, que tomó el lugar del de la ley y la opresión. Porque es necesario que quede claro cuán agobiado se sentía el pueblo pobre ante las exigencias del poder del templo de Jerusalén. Los sacerdotes, unidos a los miembros del Sanedrín y a los maestros de la ley, controlaban los negocios del templo. La afluencia de peregrinos en ocasión de las fiestas sagradas daba a esta constelación de fuerzas una gran capacidad de control social y de acumulación financiera. En efecto, el pueblo que iba a Jerusalén a cumplir con los ritos de la ley, dejaba en pago del material sacrificial y por concepto de hospedaje (la hotelería era propiedad de aquéllos que formaban parte de la constelación de poder mencionada previamente), el magro excedente económico que conseguía obtener con su trabajo. Los pobres no salían de su pobreza. Y los ricos acumulaban cada vez más riquezas. Jerusalén era como un vampiro que chupaba la sangre al pueblo humilde.[5]

En el tiempo que inaugura Jesús, el templo ya no será necesario. Más aún: será destruido. Por eso, además de otras razones, los pobres son felices (Luc. 6:20-23) y los ricos desgraciados (Luc. 6:24-26) de acuerdo al mensaje de Jesús. Estas palabras, verdadera buena noticia para el pueblo humilde, eran sentidas por los poderosos como una amenaza a su seguridad y riqueza. Eso llegó a tener una transparencia cristalina cuando, al comienzo de la semana de pascua, Jesús expulsó del atrio del templo a quienes allí traficaban, al mismo tiempo que decía: "Dios dice en la Escritura: "Mi casa será casa de oración. Pero Ustedes la han convertido en refugio de ladrones" (Luc. 19:46). Repitiendo palabras de los profetas Isaías y Jeremías (Is. 56:7; Jer. 7:11), Jesús se colocó definitivamente en la tradición de aquéllos que en Israel una y otra vez elevaron sus críticas contra el templo y el sacerdocio.

La radicalidad de Jesús fue tan manifiesta, que para aquellos que componían la constelación de poder ya no hubo dudas: era necesario eliminarlo (Mt. 26:3-5).

5. En ese sentido, luego de un prolijo análisis histórico, Jeremías señala: El culto constituía la mayor fuente de ingresos para la ciudad. Sostenía a la nobleza sacerdotal y a los empleados del templo. Los grandes gastos del tesoro del templo (recuérdese sólo la construcción del mismo) y lo que los fieles piadosos daban para el mismo (sacrificios, presentes) ofrecían diversas posibilidades de obtener ganancias a los artesanos y comerciantes de la ciudad": *Jerusalén en Tiempos de Jesús*. Madrid: Ediciones Cristiandad; 1977. p. 157. (Para ver en profundidad todo este asunto, cf. pp. 105-157, 2a. parte de este libro: *Situación Social*).

Ni siquiera los fariseos, cuya voluntad para salvar los valores nacionales era apreciada por los sectores populares, dejaron de participar en el complot contra Jesús (Juan 11:47-50).

Su destino ya estaba marcado. No obstante, Jesús mantuvo su libre determinación. Consciente del peligro que lo acechaba y de los riesgos que corría, persistió en la decisión de llegar hasta el final de su camino. En esa trayectoria, la última cena con los discípulos es un momento de enorme significación. Es cena de despedida, y a pesar de ello, también de afirmación de la esperanza en el Reino. A pesar del presentimiento de muerte que es característico de cada separación, hubo en aquella oportunidad una afirmación inequívoca en la victoria del Reino de Dios. La próxima comida pascual de él con sus amigos (los discípulos y las generaciones de fieles a través de los siglos) será cuando beban el vino nuevo en el Reino del Padre (Mt. 27:29). En ocasión de la Cena, "llegado el día", Jesús también anuncia su resurrección y afirma algo muy importante: "después de mi resurrección iré adelante de ustedes. . ." (Mat. 26:32).

Volvió a los suyos, al pueblo que estaba en Galilea. Y desde entonces está entre los pobres, con los pobres, donde están los pobres (como pobres eran sus coterráneos de Galilea a quienes anunció el Evangelio). Así va, abriendo los caminos de la historia hacia el Reino.

Ante la inminencia de los trances a los que sería expuesto durante el tiempo de la fiesta pascual, Jesús decidió tener la comida únicamente con los discípulos. Para celebrar pascua no es necesaria la presencia del sacerdote. Es una conmemoración del pueblo, llevada a cabo en el ámbito de la familia y de los más cercanos. El momento escogido por Jesús es de los más significativos. En esa última cena con sus compañeros, él da a conocer su testamento espiritual. Pese a su próxima muerte, la cena será celebrada continuamente, en su memoria (Luc. 22:19), como comida que anticipa el festín del Reino. Pero, todo testamento supone que quien lo ha emitido haya tomado conciencia de su muerte. Evidentemente, Jesús la tenía incluso desde antes de ir a Jerusalén. Durante los días que siguieron a la llegada a la ciudad, viviendo aquellos acontecimientos tan difíciles, esa conciencia se agudizó.

Y, con ella, la exigencia de afirmar aún más su vida. No lo hizo para retroceder, para escapar, sino para afianzar lo que siempre fue la tónica de su existencia entre los hombres: el testimonio de su fe en Dios a través de la práctica de la libertad. A pesar del laconismo del relato de los Evangelios sinópticos, la relación entre texto y contexto permite avizorar algunos aspectos de la intención de Jesús al decidir reunirse con sus amigos aquella noche de la jornada de los "panes sin levadura".

En *primer lugar,* es sintomático cómo Lucas alude a la ocasión. No se refiere al día en el que se sacrifica el cordero, sino a aquel en que se come el pan ázimo, no fermentado. Este era el material imprescindible para la comida pascual: los pobres no siempre tenían recursos para sacrificar todo un cordero. Bastaba el pan sin levadura. Los textos evangélicos llevan a pensar que la comida fue una solemnidad de pobres. *Lo importante no eran los alimentos sino la ocasión de la cena:* en ella Jesús reunió pan, vino y amistad.

Frente a la opresión inevitable de la muerte próxima, Jesús afirmó la vida en esa celebración memorial de la liberación de Israel del yugo egipcio. La pascua judía es la ocasión en la que se reactualiza –a través de la liturgia– la liberación histórica que Dios llevó a cabo una vez para su pueblo y que el pueblo espera que continúe en el presente. La oración pascual exclama:

> Nuestro Dios y Dios de nuestros padres, sea elevado a ti el memorial de nuestras personas, el memorial de nuestros padres, el memorial del Mesías. . . Acuérdate de nosotros.[6]

La comida de los panes sin levadura permite a Jesús, con toda su capacidad pedagógica, insistir implícitamente (los textos sinópticos, en particular no dan oportunidad para saber si lo hizo en forma explícita) sobre la importancia de que ante la acción liberadora de Dios, se esfuercen por reconocerla y por responder a ella. El memorial que se celebra no se vuelve sólo hacia el pasado: es exigencia de compromiso en el presente y convocación a una práctica (generalmente costosa, pues exige mucho de cada persona) de la esperanza.[7]

Lamentablemente, entre quienes estaban sentados con él a la mesa hubo uno que lo traicionó, otro que lo negó, así como otros que huyeron en el momento en que vinieron a arrestarlo, y que no estuvieron cerca de él en el momento de la crucificción. Jesús lo sabía

6. Max Thurian: *Le Mystère de l'Eucharistie.* Pàris: Ed. du Centurion; 1981. pp. 19-20.
7. Max Thurian: *L'Eucharistie.* Neuchâtel et Paris: Delachaux & Niestlé; 1959. p. 126. Véase también de E. Balducci; L. Basso; E. Bianchi; R. Garandy; Y. Mancini; L. Menapace; D. Mongillo; N. Negretti y Arturo Paoli: *A Luta e a Eucaristia.* São Paulo: Loyola; 1980.

(Luc. 22:21-22; 31-34); no obstante, en el momento de la comida, Jesús fue incondicional en su amistad para con ellos. Lo que realmente cuenta en la santa cena no es nuestra fidelidad a Jesús. No en vano el ritual de todas las iglesias cuando se celebra el sacramento nos lleva a decir: "No somos ni siquiera dignos de recoger las migajas que caen debajo de tu mesa". El elemento decisivo en la eucaristía es *su presencia,* su amistad liberadora que nos acompaña. Pero que también nos interpela: ¿Reconoces cómo hoy se lleva a cabo la liberación? ¿Respondes al movimiento de Dios en ese sentido?

En segundo lugar cabe decir que Jesús reinterpretó la pascua. Ya se ha dicho que para celebrarla no es absolutamente imprescindible el sacrificio del cordero: son suficientes los panes ázimos.[8] Pero hay que agregar que en la conciencia de las comunidades cristianas a lo largo de la historia, Jesús ofrece su propia vida como sacrificio liberador, como redención para todos. El autor de la Epístola a los Hebreos expresa esta convicción de manera muy clara:

> Y porque todos esos hijos (los seres humanos) comparten una misma naturaleza de carne y sangre, Jesús también tuvo que hacerse, como ellos, carne y sangre. *Así pudo por su propia muerte quitarle su poder al que reinaba por medio de la muerte, el diablo, y libertó a los hombres que toda su vida permanecían paralizados por el miedo a la muerte* (Heb. 2:14-15).

8. Franz J. Leenhardt: señala en *La Mort et le Testament de Jesús.* Genève: Labor et Fides; 1983. p. 43: "Notemos además que la Pascua podía ser celebrada sin cordero. Es posible, por lo tanto que el cordero de la ocasión no se encontraba sobre la mesa en torno a la cual se agruparon Jesús y sus discípulos. Sin embargo, nunca se podía celebrar la Pascua sin pan ázimo, pues éste podía ser obtenido siempre por los más pobres". J. Jeremías en *Op. Cit.* sostiene que el cordero debe haber sido servido en la oportunidad de aquella cena.

El carácter sacrificial de la vida de Jesús, que llegó a ser muy evidente en su muerte en la cruz, es lo que da a la última cena que tuvo con sus discípulos la dimensión definitivamente liberadora. En efecto, ya no son necesarios los sacrificios de corderos. Basta la comunión reconocida en torno al pan y al vino. El sacrificio consumado es el de su propio ser, en carne y hueso, por sus amigos (Jn. 15:13).

Jesús, liberador, surgió como el nuevo Moisés: el conductor de un pueblo al que llama a dejar de ser gente desorganizada para transformarse en comunidad y construir lo que el redactor de la Epístola a los Hebreos llama "la casa de Dios" (Heb. 3:1-6). Es con la ofrenda de su vida que Jesús garantiza la liberación que ofrece. Por eso también es considerado Sumo Sacerdote. "Todo Sumo Sacerdote es tomado entre los hombres y es establecido para ser su representante ante Dios. Le corresponde presentar las ofrendas y víctimas por el pecado, y *para eso tiene que sentirse solidario con los ignorantes y los extraviados.* En realidad, a él mismo lo asedia su propia debilidad, y por eso debe haber sacrificios por el pecado, tanto por sí mismo como por el pueblo. Además, ninguno se apropia esta dignidad, sino que debe ser llamado por Dios, tal como lo fue Aarón. Así vemos que Cristo no se atribuyó el honor de ser Sumo Sacerdote; se lo otorgó Aquél que dice: *"Tú eres mi Hijo; hoy mismo te he dado vida".*

Y en otro lugar se dijo:

> Tú eres Sacerdote para siempre, a semejanza de Melquisedec. Cristo en los días de su vida mortal ofreció su sacrificio con lágrimas y grandes clamores. Dirigió ruegos y súplicas a Aquél que lo podía salvar de la muerte, y fue

escuchado por su religiosa sumisión. Aun siendo Hijo, aprendió en su pasión lo que es obedecer; y porque llegó a ser perfecto, los que ahora le obedecen encuentran en él la salvación eterna (Heb. 5:1-9).

Y, poco más adelante en el mismo texto, profundizando esta concepción, se dice:

> En verdad, Jesús es, bajo todos los aspectos, el Sumo Sacerdote que debíamos esperar: santo, sin ningún defecto ni pecado, que haya sido apartado de la maldad universal y elevado más alto que los cielos; *alguien que no tiene necesidad de ofrecer primero sacrificios por sus pecados antes de ofrecer por los pecados del pueblo, como lo hacen los Sumos Sacerdotes. El se ofreció a sí mismo en sacrificio, una vez por todas* (Heb. 7:26-27).[9]

En *tercer lugar,* esta reinterpretación que Jesús hizo de la pascua significa también que *la liberación del pueblo no fue sólo un hecho del pasado: también hoy Dios sigue llamando a la libertad y abriendo caminos hacia la misma para quienes padecen la opresión.* Las fiestas de Israel, aunque relacionadas al ciclo anual de

9. Los subrayados del texto son míos. Véase también, en la misma Epístola a los Hebreos, cap. 9:10-28, especialmente v.v. 23-28. "Así, pues, era necesario purificar las cosas que no son más que símbolos de las realidades divinas; pero esas mismas realidades necesitan sacrificios más excelentes. No fue hecho por manos de hombres el santuario en el que entró Cristo; no era copia del santuario auténtico, sino el propio cielo, donde Cristo está ahora en presencia de Dios, en favor nuestro. *El no tuvo que sacrificarse varias veces;* no hizo como el Sumo Sacerdote, que entra todos los años en el santuario, *llevando una sangre que no es la suya.* En ese caso, desde la creación del mundo, habría tenido que padecer muchísimas veces. *Pero no, ahora se manifestó una vez por todas al fin de los tiempos, para borrar el pecado con su sacrificio.* Y puesto que los hombres mueren una sola vez, y después viene para ellos el juicio, *de la misma manera Cristo se sacrificó una sola vez para borrar los pecados de todos los hombres.* En su segunda venida ya no cargará con el pecado, cuando se manifieste a los que lo aguardan y que de él esperan su salvación". (Nuevamente, los subrayados del texto son míos).

la naturaleza, se refieren a hechos históricos. Esta relación con la historia[10] no se limita a acontecimientos pretéritos: se proyectan en la historia de la salvación, que se da en el contexto de los procesos históricos de los seres humanos.[11] En el caso de la solemnidad de la pascua, "es pasar uno mismo por el Mar Rojo siguiendo el camino que va de la servidumbre egipcia al bienestar de la Tierra prometida".[12] La historia va más allá de la naturaleza. Los límites que ésta impone pueden ser superados. Pero, para ello, "llegado el día", Jesús los encaró. Así afirmó su vida sobre la muerte que le esperaba, garantía suprema de liberación. No de una liberación abstracta, sino de todas las liberaciones.

10. E. Schillebeckx, O.P.: *The Eucharist.* London and Sidney: Ed. Sheed and Ward; 1968. p. 135.
11. Max Thurian: *Op. Cit.*, p. 25.
12. J. Zizioulas; J.M. Tillard; J.J. von Allmen: *L'Eucharistie.* France: Mame; 1973. p. 143.

CAPITULO III

LA HORA DECISIVA

> Llegada la hora, Jesús se sentó a la mesa con sus apóstoles (Luc. 22:14).
>
> Antes de la fiesta de la Pascua, sabiendo Jesús que había llegado la hora de salir de este mundo para ir al Padre, amó a los suyos que quedaban en el mundo, y los amó hasta el extremo.
>
> (Juan 13:1)

Las palabras con las que Lucas abre el relato de la cena de Jesús con sus compañeros resuenan como tres golpes graves, que dan el tono dramático a la narración de lo ocurrido en aquella dolorosa noche y en el trágico día que siguió. Son momentos decisivos. Como lo dice Juan, la decisión de Jesús es de seguir su camino hasta el final: amó a los suyos sin reservas, "hasta el extremo".

La historia que presenta Juan de lo que sucedió durante la comida es mucho más prolija y rica en acontecimientos que las apretadas narraciones que se encuentran en los Evangelios Sinópticos. Parecería como si en éstos hubiese prevalecido la intención de dar testimonio de la pasión de Jesús de tal manera que fuese inequívoca, para quien leyera o escuchara esos textos, la relación entre Jesús y sus peripecias con la figura del Siervo Sufriente.[1] También Juan tuvo esa preocupación: la misma resulta evidente cuando cuenta cómo se desarrolló el lavado de los pies de los discípulos por parte de Jesús (Jn. 13:4-11). A través de este testimonio, así como a lo largo de las conversaciones que fue entablando esa noche con los doce, hasta culminar en su oración por la unidad de los creyentes (caps. 13-17), el Cuarto Evangelio procura que en ese momento decisivo se recapitule no sólo la historia de Jesús, el Cristo, sino también todo el proceso de salvación. La última cena es la instancia en la que se decide anticipadamente esa trayectoria: aunque separado brevemente por la muerte de sus compañeros, Jesús resucitará. Y volverá a comer y beber del fruto y producto del trabajo de los seres humanos cuando se manifieste plenamente la presencia del Padre. Entre tanto su Espíritu, el *Parakletos* animador, estará indicando su presencia junto a los creyentes.[2] La vida de Jesús se condensa en esa comida con sus compañeros. En ella ya están presentes su pasión y muerte expiatoria. Así como también está el anuncio de su resurrección (Jn. 16:16). No podía ser ni antes ni después: la cena con los após-

1. Por ejemplo, es altamente sorprendente el paralelismo que existe entre el Cuarto Canto del Siervo Sufriente en el libro de Isaías (52:13-53:12), con el desarrollo del Evangelio de Marcos 14:50-16:8.
2. En la contribución de Adalbert Hamman al libro colectivo de W. Rodorf, G. Blond, R. Johanny, M. Jourjon, etc.: *L'Eucharistie des Premiers Chrétiens,* en *Le Point Théologique* N° 17, Paris: Beauchesne; 1976. pp. 91-92, llega a sugerir que esta recapitulación de la historia de la salvación en la eucaristía tuvo una dimensión cósmica. Así, por ejemplo, en Ireneo, que "esboza una teología de la eucaristía, sacramento de toda la recapitulación, lo que significa que todo ello es retomado y acabado en Cristo, en tanto cabeza". La convergencia de las ideas del P. Teilhard de Chardin con las de Ireneo sobre este particular es evidente: cf. esp. *La Messe sur le Monde* y *Le Milieu Divin.*

toles ocurrió en el momento justo: "Llegada la hora ...".

Esa comida, en el contexto de la solemnidad pascual desde el punto de vista religioso, tuvo al mismo tiempo un marco social bien preciso: fue una cena con los que componían el grupo más próximo de sus colaboradores. Como ya se ha dicho, son muchas las comidas que dan cuenta los Evangelios en las que Jesús participó. Fueron ocasiones que aprovecharon los maledicentes para criticarlo como "comilón y borracho" (Mt. 11:19; Luc. 7:34). Comió con fariseos (Luc. 14:1-ss), con cobradores de impuestos (Mt. 9:1-ss); con las multitudes (Mc. 6:30-44); con la familia de Lázaro, Martha y María (Juan 12:1-11); etc. La comensalidad no era sólo una ocasión para hacer sociabilidad: de alguna forma indica al banquete del festín en el Reino de Dios (Luc. 14:12-24). En el caso de esta comida el círculo de participantes es muy restringido. Ni siquiera las mujeres que acompañaron a Jesús en sus peregrinaciones tuvieron la oportunidad de estar presentes, pese a que poco después ellas serían los testigos privilegiados de su resurrección (Luc. 24:1-10). En la última cena Jesús se reunió con sus colaboradores más íntimos.

Como se sabe, esa comunidad no era perfecta. Como fue anotado previamente, entre sus miembros hubo uno que vendió a Jesús por treinta monedas, otro que negó ser de los suyos y que fingió no conocerlo, muchos que huyeron dejándolo abandonado. Más aún: en el seno del grupo hubo disputas por saber, en caso de que Jesús asumiese el poder (político) quienes serían los responsables más próximos a su persona en el ejercicio de la autoridad (Mt.

20:20-28). Todavía más, esa misma noche, luego de comer, cuando en el Monte de los Olivos recomendó a sus compañeros que oraran "para no caer en la tentación" (Luc. 22:40), poco después –poco antes de que vinieran a detenerlo– "los encontró durmiendo" (Luc. 22:45).

Todo esto importa recordarlo para no idealizar al colegio de los discípulos. Ayuda a comprender que la participación en la Cena no depende de nuestros méritos o de nuestra pretendida justicia, que no los tenemos y a la que no podemos aspirar delante de Dios, sino únicamente de la gracia de Jesús que nos llama a reunirnos con él en torno a esa mesa de comunión. La comunidad que participa en la Cena está llamada a aprender lo que los discípulos comprendieron luego de la resurrección de Jesús: que no es un grupo de puros que practican una moral extraordinaria, sino una asociación de quienes se saben limitados, carentes y en falta, tal como les ocurrió a los caminantes de Emaús cuando se encontraron con el Cristo (cf. Luc. 24:25).

A este grupo que reunió en ocasión de esa comida tan especial, Jesús amó a todos hasta lo sumo, incluso a Judas, a quien no dejó de convidar pese a que ya sabía que estaba complotando con sus enemigos para eliminarlo. Es en este contexto que resalta toda la grandeza, todo el noble amor que manifestó al lavar los pies de los discípulos. Dejando de lado su manto (signo de cierto señorío), hizo lo de un esclavo: puso una toalla a su cintura, colocó agua en una palangana y humildemente fue lavando las extremidades inferiores de sus amigos (Juan 13:2-11).

La reacción de Pedro no podía ser más natural:

"Tú, Señor, ¿me vas a lavar los pies a mí? " Jesús le contestó: "Tú no puedes comprender ahora lo que yo estoy haciendo. Lo comprenderás después". Pedro le dijo: "A mí nunca me lavarás los pies". Jesús respondió: "Si no te lavo, quiere decir que nada tienes que ver conmigo" (Jn. 13:6-8). Cualquiera pudo tener un reflejo semejante. Lo que importa es la insistencia de Jesús: lavar los pies a sus amigos, como si fuese su esclavo, era llevar hasta la radicalidad extrema su obra liberadora. Como dice el pasaje de la Epístola a los Hebreos citado en el capítulo anterior, Jesús mostró en esa oportunidad su "solidaridad con ignorantes y extraviados" (Heb. 5:2), con los débiles y carentes de todo tipo.

Con el lavado de pies no es necesario nada más. No hay por qué cumplir con más exigencias. Nadie, en la comunidad, puede ser excluido de la comida. Así es como en el Evangelio de Juan se destaca que la cena eucarística es el ámbito privilegiado en el que se encuentran el *ser* y el *hacer* de la iglesia.[3] El *ser* de una comunidad abierta, en la que todos los pobres seres que integramos la humanidad encontramos la comunicación que necesitamos, la solidaridad que nos ayuda a vivir. El *hacer* que consiste en servir. No hay otra figura para la existencia de la iglesia sino la de Jesucristo esclavo. Bien lo expuso San Pablo en su Carta a los Filipenses:

> Tengan entre ustedes los mismos sentimientos que tuvo Cristo Jesús: El, que era de condición divina, no se aferró celoso a su igualdad con Dios sino que se rebajó a sí mismo hasta ya no ser nada, tomando la condición de esclavo, y llegó a ser semejante a los hombres. Habién-

3. J.J. von Allmen in: J. Zizioulas, J.M. Tillard y J.J. von Allmen: *Op. Cit.*, p. 139.

dose comportado como hombre, se humilló, y se hizo obediente hasta la muerte - y muerte en una cruz. (Fil. 2:5-8).

Jesús, por anticipado, al lavar los pies de sus amigos, anuncia su sacrificio en la cruz al día siguiente. Ese gesto misterioso, que Pedro (y muy posiblemente ninguno de los discípulos) supo comprender, es signo de algo que llegó a ser discernido más claramente luego de la cruz y la resurrección. Es un gesto sacramental: apela a percibir un misterio. Sólo la fe puede llegar a hacerlo.

Asumir la postura de esclavo significa para la iglesia ahondar su compromiso social con los "ignorantes y extraviados", con quienes forman parte de la mesa de pobres y menospreciados por los poderes de este mundo.[4] Esta convergencia entre el *ser* y el *hacer* de la iglesia en la eucaristía es lo único que garantiza que la celebración de la comunión sea una señal de la liberación conmemorada y anunciada en la comida pascual. Esa convergencia entre la comunidad que *es* cuerpo de Cristo y que *hace* como Cristo, lleva a la reactualización de la Cena de Jesús con sus amigos.

La eucaristía surge, pues, como vocación. Llamando a hacer frente a lo inevitable... "cuando llega la hora", aquel momento decisivo en el que hay que mostrar –como Jesús– la integridad entre nuestro *ser* y nuestro *hacer* eclesial.

4. Tissa Balasuriya ha llegado a ver muy claro este sunto: "La liturgia de la Palabra puede ser una poderosa ayuda para conducirnos a una reflexión interior y al compromiso social. Para ello es necesario que exista un cambio fundamental en la manera de acercarse a la Eucaristía. Debe haber una relación más estrecha con la vida pública de Jesús, la Ultima Cena y su crucifixión, pues todos estos acontecimientos están íntimamente ligados". En *The Eucharist and Human Liberation.* New York: Orbis; 1979. p. 48.

CAPITULO IV

HACIA LA NUEVA Y PERFECTA PASCUA

> En verdad, he deseado muchísimo comer de esta Pascua con ustedes antes de padecer; porque, les aseguro, ya no la volveré a celebrar hasta que sea la *nueva y perfecta* Pascua en el Reino de Dios.
>
> (Lucas 22:15-16)

Como se señaló en los capítulos precedentes, el relato de la última cena que nos presentan los Evangelios de Mateo y Marcos (que se refieren, verosímilmente, a una misma fuente), pueden ser caracterizados como sumamente lacónicos. La avaricia en la presentación de detalles es algo que ciertamente los distingue con nitidez del relato de Lucas, que no sólo da lo que parece ser una historia más extendida sobre lo que ocurrió en aquella oportunidad, sino también agrega elementos que no aparecen en los testimonios de los dos primeros Evangelios. Entre tales novedades hay una que no sólo sorprende al lector contemporáneo; también debe haber dejado estupefactos a los propios amigos de Jesús: se trata del voto de abstinencia manifestado por el Maestro.[1] Se trata de un gesto

1. J. Jeremías: *The Eucharistic Words of Jesus.* London; SCM Press; 1966. p.212. "El hecho de que Jesús se excluyó a sí mismo de la comida pascual debe haber perturbado seriamente a sus discípulos".

a primera vista extraño, inesperado. Por lo menos en ese momento, porque es posible una cierta comprensión del mismo si se tienen en cuenta los acontecimientos que siguieron.

En un primer momento Jesús explicita claramente su deseo de comer *esa* pascua con sus compañeros. El desarrollo de su ministerio, el compromiso firme que los unía en la búsqueda del Reino de Dios, alegrías y angustias compartidas, eran parte de las cosas que naturalmente tienen que haber motivado a Jesús a expresar su deseo. En medio de las condiciones que de un modo u otro influían sobre el grupo del Maestro y los doce, era normal que, llegado el momento de la fiesta, la comunidad entera participase en ella. Para los discípulos era una expresión de aquel compromiso por el Reino de Dios que tanto los motivaba (aunque la comprensión que tenían del Reino parecía no ser muy precisa, y además diferente entre unos y otros).

Lo que llama la atención, según ya se dijo, es la palabra de abstinencia dada por Jesús, expresada inmediatamente después de la indicación de su profundo deseo de comer *esa* pascua con los doce.[2] En aquella cena de despedida, al mismo tiempo que reinterpretaba el sentido de la pascua, Jesús señaló taxativamente: "Ya no la volveré a celebrar hasta que sea la nueva y perfecta Pascua en el Reino de Dios" (Luc. 22:16).

Jesús, pues, de acuerdo con la narración de Lucas se abstuvo de compartir el pan y el vino con los discípulos en aquella ocasión. Las palabras que acompañan el ofrecimiento de la primera copa (22:17-18) y luego

2. Sobre este punto del "voto de abstinencia" de Jesús, ver Jeremías: *Ibid.*, pp. 207-218.

del pan (22:19) llevan a confirmar su abstinencia. Luego de tomar el cáliz les dijo a sus compañeros: "Tómenla y repártanla entre Ustedes". La forma de expresión es clara: "esta copa es para vosotros". Algo semejante ocurrió luego de fraccionar el pan: lo dio a los apóstoles comentando: "Esto es mi cuerpo que es entregado por ustedes". O sea, en el texto lucano hay una serie de elementos claros que ponen de relieve esa decisión de Jesús de abstenerse de comer y beber.

Ese gesto insólito, imprevisto, desafía nuestra comprensión. Jeremías incluso llega a decir que "Probablemente, él ayunó completamente"[3] en aquella ocasión. ¿Cuál puede haber sido el motivo? Imaginamos la tensión que experimenta quien desea ardientemente alguna cosa y, sin embargo, toma la decisión de privarse de ella. Por eso mismo, todo nos lleva a pensar que debe haber existido un motivo muy fuerte para que Jesús asumiera esa actitud. Esa causa, a nuestro entender, además de expresar una posición existencial (ya hemos mostrado cuán coherente fue Jesús a lo largo de su vida) también responde a posiciones teológicas muy importantes.

> Jesús puede haber intentado hacer claro a sus discípulos la naturaleza irrevocable de su decisión de preparar el camino para el Reino de Dios por medio de su sufrimiento vicario. Quema sus puentes, abjura de comer y de beber vino, se prepara a sí mismo con voluntad resuelta para beber la amarga copa que el Padre le ofrece. En su renuncia parece ya estar presente algo de la espantosa tensión de la lucha en Ghetsemani y de la profundidad del desamparo sobre la cruz. Al mismo tiempo, Jesús puede haber deseado hacer claro a sus discípulos cuán completamente desprendida de este mundo y de este

3. *Ibid.*, p. 212.

tiempo (*aeon*) era su vida. Esta era dedicada completamente a Dios (Jn. 17:19) y pertenece ya al Reino de Dios que viene y a la pascua de la consumación. Finalmente, Jesús puede haber deseado impartir a sus discípulos un sentido de la certeza de la proximidad del Reino de Dios por medio de una oración simbólica y apremiante para la consumación de la pascua, casi luchando a brazo partido con Dios.[4]

Dicho de otro modo, si el deseo de Jesús de compartir aquella cena con los discípulos fue muy grande, mucho mayor es su aspiración de participar en una pascua nueva y consumada, en un mundo transformado, donde la comunión plena con el Dios liberador sea posible, porque será una relación entre el Libre de los libres y aquéllos que somos llamados a la libertad (Gal. 5:1). Jesús, como en ocasión de la Cena del Señor, actuará como un *paterfamilias,* fraccionando y bendiciendo el pan y ofreciendo a sus amigos la amistad entera de su persona, brindando con la copa de gratitud. El mismo, el que invita y el que sirve, presentando el don de su salvación, la vida eterna, vida de verdad (auténtica) y de práctica de la libertad (Jn. 8:31-32).

De acuerdo con lo afirmado previamente, la abstinencia de Jesús es una confirmación de que la última cena, y por ende la práctica eucarística de las comunidades cristianas, no está orientada sólo hacia el pasado. Nadie puede negar el aspecto memorial de esta celebración. No obstante, la atención principal se dirige hacia el futuro, cuando se festejará "la nueva y perfecta pascua en el Reino de Dios". Indudablemente, Jesús se preocupó de que todos entendie-

4. *Ibid.*, p. 216. Cf. también: Max Thurian: *L'Eucharistie.* Neuchâtel et Paris: Delachaux et Niestlé; 1959. p. 211-212.

ran que la comida pascual tiene por sobre todas las cosas una dimensión escatológica.[5] Es necesario, según su intención, mirar hacia el futuro. La eucaristía no es un regodeo con nuestras memorias. Permanecer en el mundo del pasado, dirigirse una y otra vez al espacio del recuerdo sin tener la visión del futuro por la que comprometemos nuestra existencia, es afirmar lo que ya fue. Es amar la muerte. Jesús no podía aceptar tal actitud. Eso explica su cuidado para que nadie entendiera mal el sentido de la última cena.

En la historia de la iglesia primitiva se advierte que las comunidades cristianas del primer siglo tenían conciencia de ser comunidades escatológicas, "en el camino"[6] hacia el Reino de Dios. Cuando se reunían para celebrar su comida fraternal, no sólo recordaban la vida de Jesús, sino que por encima de todo su fe era expresión de la esperanza del retorno liberador del Señor.[7]

La eucaristía, pues, no puede separarse del anuncio del Reino de Dios. Necesita ser considerada como una comida mesiánica. Quienes se aproximan a la mesa para compartir los elementos consagrados, asumen al hacerlo el compromiso de caminar hacia el Reino, de buscar su justicia por sobre todas las cosas (Mt. 6:33). La comunidad eucarística, por la fe, tiene la certeza de que la muerte no es la palabra definitiva. El nuevo

5. Max Thurian: *Op. Cit.*, p. 213: "Cristo no expresa la promesa del Reino sólo con palabras, sino por un voto de abstinencia, por un *compromiso*: no bebe la copa y lo explica por un deseo que remite a su retorno glorioso, la gran fiesta de la Pascua eterna" (el subrayado es mío).

6. El grupo de cristianos en Jerusalén y Antioquía, inmediatamente después de la muerte y resurrección de Jesús, se conocía como "el Camino" (cf. Hech. 9:2; 19:23).

7. E. Schillebeckx: *Op. Cit.*, p. 123.

mundo ya ha comenzado. La comida eucarística es su anticipación gozosa. Jesús, al abstenerse de comer y de beber en aquella última cena con los doce, insistió en esta densidad de la dimensión escatológica de la comida de comunión. De ahí que, cuando San Pablo expuso a los Corintios cómo tenía que ser celebrada la Cena, de acuerdo con lo que recibió "del Señor", dice muy justamente:

> Así, pues, cada vez que comen de este pan y beben de la copa, *están anunciando la muerte del Señor hasta que él venga"* (I Cor. 11:26).

La muerte de Jesús en la cruz es la llave que abre las puertas cerradas al futuro de los seres humanos, es el ariete que derriba las murallas que encierran nuestras existencias. Es el acto de liberación contra el que no pueden prevalecer los poderes de opresión. Tras su muerte vino su resurrección. La piedra del sepulcro fue removida, y así Jesucristo salió por las sendas de la historia abriendo nuevos rumbos, marchando delante de nosotros, por los caminos de liberación. Según el testimonio de Lucas, esto fue claramente expuesto por Jesús:

> Ustedes han permanecido conmigo compartiendo mis pruebas. *Por eso les preparo un Reino,* como mi Padre me lo ha preparado a mí. Ustedes comerán y beberán en mi mesa en mi Reino, y se sentarán en tronos, para juzgar a las Doce tribus de Israel (Luc. 22:28-30).

Esta conciencia escatológica de la comunidad cristiana en su historia primitiva la llevó naturalmente, por un lado, a anunciar el Reino. Pero también a prefigurarlo. Esto, incluso en la ocasión de aquella comida con los discípulos, significó que ante la inminencia de momentos muy aciagos, de horas muy tristes, el tono final de la celebración fue de exultación. "Una vez cantados los himnos" dice el texto de Marcos (14:26), en tanto que Mateo da una versión apenas diferente: "Después de cantar los salmos, partieron para el cerro de los Olivos" (26:30). Son alusiones a los cánticos que cerraban la comida pascual: alabanzas porque la liberación que Dios ofrece a los miserables, a los desvalidos, a las estériles es para siempre:

> Aleluya!
> Alaben, servidores del Señor,
> el nombre del Señor.
> Bendito sea el nombre del Señor,
> de ahora y para siempre.
> Desde que sale el sol hasta su ocaso,
> alábese su nombre.
>
> Sobre todos los pueblos el Señor,
> en gloria se levanta sobre el cielo,
> ¿quién igual al Señor que es nuestro Dios
> que sube a su alto trono
> y baja a revisar cielos y tierras?
>
> Desde el polvo levanta al miserable,
> de la mugre retira al desvalido
> para darle un asiento entre los nobles,
> con los grandes del pueblo.
> Asegura a la estéril en su casa
> como madre gozosa de sus hijos.
>
> (Salmo 113)

Es una manera de enfrentar al peligro mortal testimoniando la victoria liberadora de Dios. Como también lo hicieron tantos cristianos frente a los perseguidores romanos. Como tantos otros en las hogueras de la inquisición. Como el pueblo, que a pesar de su pobreza canta y baila sus diabladas y sus carnavales.

Como quienes, a pesar de las torturas y los vejámenes sufridos, continuaron y continúan peleando por los derechos del pueblo en las cárceles latinoamericanas.

En esta afirmación de la liberación de la vida frente a los poderes de la muerte se da la presencia de Jesucristo. Como él en aquella última cena, hay quienes esperan que se concrete de una vez por todas el banquete fraterno del Reino de Dios. En la eucaristía, esta orientación escatológica adquiere una manifestación litúrgica que alude y mantiene vivo el compromiso de lucha por el Reino. Vale la pena citar aquí las palabras de J. J. von Allmenn:

> Una iglesia que se relame en la Cena sin comprender que esta comida es una anticipación del *gran festín* que debe calmar a todos los seres humanos, y que apenas lamenta no ver a todos reunidos en torno a la mesa donde se distribuye 'el pan que da vida al mundo' (Jn. 6:33), es una Iglesia que no puede dejar de ser culpable en relación a uno de los temas fundamentales de la Eucaristía.[8]

Vale la pena profundizar esta relación entre la Santa Cena y el Reino de Dios. En ella radica la distinción que es necesario dejar en claro entre la comida pascual judía y la eucaristía de los cristianos.

> Como la comida pascual, la eucaristía sigue el movimiento que va de la fe en una liberación realizada a la actualización de ésta en el sacramento, a la oración para que el Señor venga a cada ser humano y apresure así la llegada del último día. Es necesario subrayar que la diferencia entre esos dos movimientos análogos consiste en que la dinámica de la comida pascual parte de una liberación típica para anunciar la liberación definitiva escon-

8. J. Zizioulas, J.M. Tillard, J.J. von Allmen: *Op. Cit.*, p. 170.

dida en Cristo, para proclamar e implorar la manifestación de la misma. La liberación del pueblo de Israel, salido de Egipto, fundamento de su existencia como pueblo de Dios, podía ser compartida en la comida pascual, mas también podía ser arrasada por el pecado; ella suponía por lo tanto una liberación verdadera, total y definitiva por el Mesías que vendría el día de Pascua.[9]

Hay otro elemento más: frente al riesgo de la confrontación final en el momento de la última cena, Jesús se preparó para mantener su coherencia. De alguna manera también intentó prevenir a los discípulos sobre lo que había de ocurrir posteriormente y prepararlos para momentos tan difíciles. O sea, que en ocasión de la Cena, aparece lo que Schillebeckx llama "el aspecto creativo" de la misma[10]: el creyente se nutre de la gracia de Dios debiendo encarar peripecias para las que fríamente muchas veces no se siente preparado. Por ello la eucaristía es un medio de gracia.

La eucaristía es también ocasión para festejar la redención de la historia, el reino de la libertad, el advenimiento del mundo del espíritu y la victoria sobre las fuerzas de este mundo, de la "carne" (*sarx*, en griego, que no quiere decir cuerpo –*soma*– sino el deseo profundo de dominación y opresión que domina a los seres humanos bajo el peso del pecado).

Los Padres de la Iglesia nos recuerdan que en la eucaristía se da la presencia de toda la creación y del mundo amado de Dios, y que en ella podemos ofrecer la acción de gracias por todo lo que Dios ha hecho de hermoso en el mundo y en la humanidad. La Iglesia tiene necesidad hoy de recordar esta visión cósmica, ecológica, positiva y

9. Max Thurian. *Une Seule Eucharistie:* Taizé: Les Presses de Taizé; 1973. pp. 20-21.
10. E. Schillebeckx: *Op. Cit.*, p. 81.

optimista de la eucaristía, y de celebrarla en una liturgia que exprese la alegría del cielo sobre la tierra y la espera del banquete en el Reino de Dios.[11]

Es cierto que *todavía no* se ha cumplido totalmente esa redención cósmica, pero en la Cena, la comunidad que brega y espera por ella ya la festeja. *Es el misterio de la fe.* La comunidad que lucha por la liberación, que ora por ella, que está unida en torno a ella con profundos vínculos de amistad, también es parte de este misterio.

Cuando en la celebración eucarística los que participan expresan su gozo por el gusto anticipado del Reino en el momento del abrazo de la paz, están dando expresión al misterio. Este no queda escondido. Manifiesta su fuerza en ese gesto fraterno que anticipa un mundo sin opresiones sociales, sin divisiones injustas, sin guerras insensatas, sin luchas económicas que tanto mal hacen a los pobres y desvalidos.

Entre tanto, en la escena de la historia, esas opresiones, injusticias, luchas, guerra y explotación existen. La comunidad que se reúne en torno a la Mesa del Señor no puede dejar de recordar entonces la aspiración profunda de Jesús para celebrar "la nueva y perfecta Pascua en el Reino de Dios". Ese recuerdo es motivo para reafirmar el compromiso con el Reino, para dar testimonio de él y luchar por él. No es posible participar en la Cena sin este deseo de que venga el Reino del Señor. La oración que nos enseñó Jesús tiene su lugar más cabal en la liturgia de la Iglesia en el contexto de la celebración eucarística.

11. Max Thurian. *Le Mystère de l'Eucharistie.* Paris: Ed. du Centurion; 1981. p. 24.

"Venga tu Reino". "Maranatha": "Ven Señor" (I Cor. 16:223).[12]

12. J.M. Tillard, en el libro escrito con J. Zizioulas y J.J. von Allmen: *Op. Cit.*, p. 92, señala: "Invirtiendo la fórmula de Oscar Cullmann, es posible decir que en la Eucaristía, y únicamente en ella, el "*todavía no*" resplandece en el "*ya*". El *Maranatha*, con la dualidad de su significación, traduce muy bien esta situación de la Iglesia en la Cena de su Señor. *Maranatha*, "el Señor viene", pero también *Maranatha*, "Ven Señor". Ven porque tu venida sacramental nos da el gusto de esta venida plena y descubierta".

Cf. también: Max Thurian. *L'Eucharistie*, p. 167.

CAPITULO V

TOMEN Y COMPARTAN ENTRE USTEDES

> De manera que su reunión ya no es la Cena del Señor, pues cada uno se adelanta a tomar su propia comida, y mientras uno pasa hambre, otro se embriaga. ¿No tienen ustedes casas para comer y beber? ¿O es que desprecian la iglesia de Dios y quieren avergonzar a los que no tienen? ¿Qué les diré? ¿Los aprobaré? En esto no.
>
> (I Corintios 11:20-23)

Ya se ha hecho mención que entre las imágenes empleadas por Jesús para ilustrar su concepto del Reino de Dios hay que tomar en cuenta muy especialmente la del *banquete*. Cuenta Lucas (14:1-24) que habiendo ido Jesús a comer en la casa de un importante fariseo un día sábado, provocó el silencio de su anfitrión y amigos curando a un hombre que sufría de hinchazones. Luego hizo una serie de observaciones sobre cómo acercarse a la mesa: insistió sobre la necesidad de no procurar un lugar de importancia. Siguió entonces hablando sobre la conveniencia de abrir la hospitalidad de la propia mesa "a los pobres, a los inválidos, a los cojos y a los ciegos" (Luc. 14:13b). Esa es obra de justicia. Entonces uno de los invitados exclamó: "Feliz el que tome parte en el banquete del

Reino del Dios". Eso fue aprovechado por Jesús para instruir a quienes estaban con él en aquella oportunidad sobre el contenido de su enseñanza sobre el banquete escatológico. La narración paralela de Mateo (22:1-14) es más afirmativa: comienza diciendo

> Pasa en el Reino de los Cielos lo que le sucedió a un rey que celebró las bodas de su hijo. Mandó a sus servidores a llamar a los invitados a las bodas, pero éstos no quisieron venir.

Al final, los servidores invitaron a todos los que encontraron, malos y buenos, y el banquete fue motivo de alegría para muchos. Curiosamente, el texto de Mateo termina haciendo mención de la expulsión de una persona que llegó a la fiesta sin vestirse adecuadamente para la ocasión, "porque muchos son los llamados, pero pocos los escogidos" (Mt. 22:14).

La idea del Dios que reina lleva a pensar en aquel ser que se aproxima a nuestra vida y

> hace también saltar las inamovibles y criminales estructuras en las que todas y cada una de las cosas se hallaban planificadas de antemano, ajustadas y encasilladas sin esperanza: piadosos e impíos, privilegiados y proscritos, judíos y paganos.[1]

La cercanía del Reino de Dios pone en tela de juicio el orden del mundo. Y el banquete escatológico, culminación de esa nueva realidad, verá en torno a la mesa a quienes no tienen ni vez ni voz en el sistema que prevalece entre los seres humanos. Será la fiesta de los pobres, de los mendigos, de los inválidos, etc. Así pues, se presenta el Reino de Dios, por un

1. Günther Bornkamm: *El Nuevo Testamento y la Historia del Cristianismo Primitivo.* Salamanca: Ediciones Sígueme; 1975. p. 24.

lado, como aquella situación en la que todos seremos satisfechos. Nuestras necesidades fundamentales: comida, vivienda, salud, trabajo y educación, por las que tanto penamos, ya no gravitarán sobre nuestro ser, cargándonos de preocupación. Y, por otro lado, Jesús señala que en ese nuevo estado de cosas se alcanzará una convivialidad inimaginada. El espíritu de comensalidad prevalecerá. Nuestras tensiones serán dejadas atrás y prevalecerá la alegría de la fiesta. Codo a codo, compartiendo lo que se nos da de gracia, florecerá la comunión. El amor fraternal todo le cubrirá.

Parece importante recordar el final del relato de Mateo: para participar en ese festín es necesario prepararse convenientemente. Hay quienes pretenden hacerlo, pero en realidad no toman en serio las exigencias del Reino. Fue el caso de Ananías y Safira (cf. Hech. 5:1-11), que no fueron capaces de aceptar el desafío que se les presentó para formar parte de la *ekklesía* de Jerusalén, en la que los creyentes compartían el pan "y todo cuanto tenían. Vendían sus bienes y propiedades y se repartían de acuerdo a lo que cada uno de ellos necesitaba" (Hech. 2:44b-45). Ananías y Safira pretendieron dar una parte del resultado de la venta de su propiedad, escondiendo el monto real de la transacción, para así quedarse con el resto. Con su gesto negaron la comunión fraternal. No se prepararon para el momento de comensalidad. No estaban en condiciones de vivir las exigencias del Reino.[2]

El problema siempre estuvo presente en la historia de la Iglesia, tanto en el tiempo de las comunidades

2. Cf. Martin Hengel: *Property and Riches in the Early Church*. London: SCM Press, 1974.

del siglo I como en las de nuestro tiempo. En Corinto, por ejemplo, en aquella comunidad a la que San Pablo dedicó tantos cuidados y que tanto le preocupó, la fracción del pan pronto dejó de ser la ocasión feliz en la que se encontraban en pie de igualdad quienes en la vida cotidiana vivían en planos socialmente diferentes. Es decir, surgieron en el seno de la comunidad las mismas diferencias sociales que caracterizaban la vida de sus miembros en la sociedad civil. Y, cosa grave, tales distingos surgieron sobre todo en el momento menos propicio para ello: cuando la comunidad se reunía para celebrar la Cena del Señor, la comunión. En vez de compartir, cada uno iba a comer su propia comida. Algunos se alegraban de más con el vino que habían llevado, mientras otros sufrían pasando hambre. San Pablo reprobó claramente esta situación. (I Cor. 11:20-22).

La crítica de San Pablo es radical: el error de la comunidad de Corinto se debió a que por haber introducido las divisiones del mundo en la comunidad cristiana, cuando los miembros de ésta "compartían" el pan y el vino de la Cena, no lo hacían fraternalmente, sino de acuerdo con pautas que predominaban en la sociedad secular. El acto, que debía indicar el festín del Reino, perdía entonces todo su contenido. Se trataba de una profanación de la celebración de la eucaristía. La conciencia social del apóstol se expresa claramente cuando se trata de la Santa Cena.

Otros pensadores cristianos en los siglos siguientes mantuvieron la misma línea. Tal es el testimonio de la *Didajé*, o *Doctrina de los Doce Apóstoles:* [3]

3. *Didajé o Doctrina de los Doce Apóstoles* en *Los Padres Apostólicos.* Buenos Aires: Desclée de Brouwer y Cia.; 1949. pp. 63-84.

> No tardes en dar, ni des con pesar, pues sabes quien es el que recompensa con sueldo bueno. No rechaces al menesteroso, más compartirás todos tus bienes con tu hermano; no dirás de ninguna cosa: 'Esto es propiedad privada mía'. Porque, si compartís la suerte inmortal, cuanto más la suerte mortal (4:3-8)... El día del Señor reuníos para compartir el pan y la acción de gracias, después de haber confesado vuestros pecados, para que sea puro vuestro sacrificio. Pero primero confesaos vuestros pecados, para que cualquiera que tuviere una contienda con su hermano, no os acompañe antes de reconciliarse, para que no sea profanado vuestro sacrificio (14:1-2).

O sea, la comunidad que se reúne para la celebración está llamada a superar las divisiones injustas de la sociedad:

> Como este fragmento de pan estaba disperso sobre los montes, y recogido, se hizo uno, así sea recogida tu Iglesia desde los límites de la tierra en tu Reino (14:4).

Basilio de Cesarea, llamado el Grande, mantendría dos siglos más tarde los mismos acentos, las mismas exigencias. Aquel gran profeta del Siglo IV, expresó claramente sus preocupaciones en ese sentido:

> Así son los ricos, se declaran dueños de los bienes comunes que han acaparado porque ellos fueron los primeros ocupantes. Si no guardara cada uno más que lo necesario para las necesidades corrientes, y lo superfluo lo dejara para los necesitados, la riqueza y la pobreza estarían abolidas. ¿No has salido desnudo del seno de tu madre? ¿No vas a volver desnudo a la tierra? ¿De dónde te vienen esos bienes actuales? Si me respondes "del azar" eres un impío, pues no reconoces a tu Creador, lleno de ingratitud para con el que te lo ha dado todo. Y si confiesas que son dones de Dios, explícanos la razón de tu fortuna. ¿La debes a la "injusticia" de ese Dios que

> reparte desigualmente los bienes de la tierra? ¿Por qué eres tú rico y ese es pobre? (. . .) El pan que guardas pertenece al hambriento. El manto que encierran tus arcas al desnudo. Al descalzo pertenece el calzado que se pudre en tu casa. Al menesteroso, el dinero que tienes enterrado. Así oprimes a tanta gente que podías ayudar.[4]

Esta muestra de desigualdad social es patente en nuestro tiempo. A pesar de que la colectividad humana dispone de los recursos técnicos y materiales para poder disminuir las diferencias entre ricos y pobres, la distancia que separa a unos de otros crece escandalosamente. El mundo en el que vivimos, pese a todos sus bienes, es escenario de la muerte cada año de más de diez millones de niños de menos de tres años de edad.[5] Las riquezas acumuladas en el Norte son un insulto para quienes en el Sur padecen hambre y otras necesidades. Al mismo tiempo que los medios de comunicación social informan del hambre que causa estragos en las poblaciones de Etiopía, las mesas abundantes de los ricos testimonian de la injusticia que aprovechan quienes se hartan porque tienen mucho.

Cuando las comunidades cristianas asisten sin reaccionar a este estado de cosas, su celebración de la eucaristía es vacía. El acto pierde su significado. Esa práctica repetida, que parece ignorar la realidad del anti-Reino, no sólo es una repetición ritual: ella no apela a la credibilidad. La Cena es una indicación del sacrificio de Cristo, hecho por todos y de una vez

4. *Riches et Pauvres dans l'Eglise ancienne.* Paris: Ictys, N° 6; 1962. p. 76. Versión en castellano en A. Hamman: *Guía Práctica de los Padres de la Iglesia.* Bilbao: Desclée de Brouwer; 1969. p. 166-167.
5. Datos oficiales de la UNICEF.

para siempre. Reunirse en torno a la mesa y luego separarse para no reaccionar frente a las desigualdades injustas del mundo, es signo de la banalización de la fiesta eucarística.[6] Es testimonio de que no se toma en serio lo que Jesús hizo por todos nosotros.

El camino que los cristianos son llamados a seguir lleva por las sendas de la comunión, del acto de compartir. Esa orientación radical de la fe cristiana tuvo su expresión más definida en los gestos de Jesús. Este practicó y exigió el reparto de los bienes muchas veces en su ministerio. Un ejemplo fue cuando cinco mil comieron y se hartaron al caer la tarde de aquel día en el que Jesús y los doce apenas contaban con cinco panes y dos pescados. Jesús los tomó,

> levantó los ojos al cielo, dijo la bendición, los partió y se los entregó a sus discípulos para que se los distribuyeran a la gente. Todos comieron cuanto quisieron y se recogieron doce cestas llenas. (Luc. 9:12-17).

La multiplicación de los panes y los peces es el acto que da expresión al compartir, al misterio de la comunión. Cuando se comparte la comida en torno a la mesa, la propia persona participa en ese gesto. Comer pan y beber vino juntos es entrar en un proceso de correspondencia, de relación que va más allá de las reglas formales del juego social. En el caso de la Cena, esta relación se da con quien llama a tomar parte en la misma. Es Jesús quien nos convoca a compartir. Lo hace con la autoridad de quien supo hacerlo durante su existencia. El pan y el vino son los elementos materiales que sellan la comunicación entre las personas.

6. Cf. J. M. Powers: *Eucharistic Theology*. New York: The Seabury Press; 1967. p. 165. También ver Tissa Balasuriya: *Op. Cit.*, p. 23-24.

La celebración de la Cena no es una comida metafísica, en la que apenas simbólicamente nos sentimos unidos. Es un acto que, en su dinámica propia, desarrolla aquella creatividad que menciona Schillebeckx, la que se expresa en gestos y movimientos que trascienden la dimensión personal de los individuos que se relacionan en esa acción, para así llegar a adquirir una fuerza social. Las comunidades cristianas de los primeros siglos tomaron conciencia de esta potencia que se manifiesta en la celebración eucarística y que consigue plasmarse en un nuevo estilo de vida, por medio del cual quienes celebran la Cena del Señor en espíritu y en verdad, continúan en una praxis de comunión cuando vuelven a insertarse en los asuntos de su vida diaria. Este movimiento es aquel que la teología ortodoxa caracteriza como "liturgia después de la liturgia". Por él se busca que las masas, dispersas y desorganizadas en el mundo, lleguen a ser comunidad portadora de justicia y hermandad.[7]

Una consecuencia de esta postura en la vida de los creyentes es la fecundación de la sociedad con gérme-

7. *Relatorio de la Consulta Ortodoxa* organizada en *Nuevo Válamo*, Finlandia, por el Consejo Mundial de Iglesias (24-30 de Setiembre, 1977). *The New Valamo Consultation.* Genèva: WCC; 1977. pp. 17-21. Esp. v. p. 20: "Los miembros de la Iglesia viviente, practicando y testimoniando esta experiencia eucarística, crean un nuevo estilo de vida. Este fue concretado en la vida de los Apóstoles, mártires y santos que a través de la historia rehusaron trocar lo "celestial" por lo "terrenal". Esta vida mortal es manifestada hoy en los pecados de nuestro tiempo, especialmente en una cultura de individualismo, de racionalismo, de consumismo, de racismo, de militarismo, de explotación y expropiación de los pobres. En toda cultura la dinámica eucarística conduce a la "liturgia después de la liturgia", es decir, a un uso litúrgico (n. del autor: léase *eucarístico*) del mundo material, a una transformación de las relaciones sociales en *koinonía,* del consumerismo en una ascética con relación a la creación, y que busca la restauración de la dignidad humana".

nes que, al tomar fuerza y desarrollarse, promueven transformaciones sociales. La *imagen* sacramental no es mero símbolo: llega a manifestar su fuerza en la misma *realidad* social. Es entonces que se da credibilidad y sentido a la eucaristía. La verificación social del significado eucarístico impide la banalización de la celebración de la Cena del Señor. El pan y el vino compartidos reciben un nuevo sentido: son imágenes, figuras de una fuerza que resulta de la comunicación y comunión de los creyentes, que se vuelca sobre la realidad social con miras a darle un carácter más próximo al festín del Reino de Dios.

Esta afirmación está corroborada por las celebraciones de la Santa Cena que tantas y tantas comunidades llevan a cabo hoy, especialmente en las sociedades del Tercer Mundo, donde el combate entre las fuerzas de la vida y los poderes de la muerte ya no puede ser ignorado. En esas ocasiones el pueblo rememora la victoria de Jesucristo, entregado en la Cruz por la liberación de los seres humanos, y la relaciona con sus sufrimientos y (cuando es posible) con sus liberaciones actuales. De este modo la comunidad se fortalece para continuar su marcha hacia el Reino, para hacer frente a nuevas luchas y encarar nuevos desafíos.[8]

8. Como dice J. M. Tillard en el libro escrito en colaboración con J. Zizioulas y J.J. von Allmen: *Op. Cit.*, p. 122: "La experiencia de la comunión en una sola participación litúrgica, un solo canto, un solo *Amen*, una sola Mesa, un solo pan, una sola copa, en resumen: una *synaxís*, traduce la realidad misteriosa que se cumple en el interior, en el corazón de cada uno. Un sobresalto de *koinonía* debe normalmente elevar la Asamblea. Este sobresalto, impulsado por el poder del Espíritu y destinado a dar fruto en los momentos que siguen a la celebración, representa una etapa en la marcha del pueblo de Dios. En el cuerpo de su Señor, Aquel que pasa más allá de su pecado y de su miseria: es una Pascua. . ."

En el momento de la celebración de la Cena se asiste, por lo menos, a tres transformaciones: En *primer lugar,* de la persona que participa en la comunión. Se acerca a la Mesa con el espíritu muchas veces anonado por sus limitaciones, por el peso moral que le causa el hecho de que muchas veces anhelando hacer el bien, no consigue sino lo contrario. La carga del sentimiento de culpa, expresión de finitud y de frustración humanas, acompaña a quienes se aproximan a la mesa. Esa expresión del pecado también marcó a los doce con quienes Jesús llevó a cabo su última Cena. Pero, como en aquella oportunidad, Jesús abre sus brazos a todos: el pan y el vino son sin exclusiones. La amistad que Jesús ofrece es mucho más sólida y potente que nuestra culpa. Los fantasmas, demonios y complejos que habitan a los seres humanos quedan desarmados: no saben cómo neutralizar el acto de Jesús. El ser más íntimo de la persona se ve tocado por esa afectuosa manifestación de compañerismo.

En *segundo lugar,* como expresión de la fuerza implícita en la comunión se da una transformación social. El grupo de hombres y mujeres que se une en un acto de celebración en torno a una mesa común (que por un lado es memorial –*anamnesis*– de la obra liberadora de Dios en Jesucristo, y que por otro lado es manifestación de una esperanza viva en el Reino de Dios) constituyen una comunidad que posee una dinámica, un potencial de cambio. Cuando culmina la celebración, el pan y el vino de aquella comida compartida son como el sello de un pacto que los reúne para luchar contra los poderes que niegan la eucaristía. De ahí la necesidad de resistir a la profanación de la celebración. Esta se produce cuando esos poderes de muerte se apropian de la Santa Cena. Por ejemplo, cuando quienes participan en la comunión no dan un testimonio de liberación, de justicia y de paz; cuando se toma el pan y el vino, y no nos decidimos, al mismo tiempo, a luchar por los derechos de los pobres, por la superación de la condición femenina, por los negros y los indios. . . El espíritu de la celebración eucarística conduce, cuando es fiel a Jesús, a una acción que tiene como mira la transformación de la sociedad. Este es, por ejemplo, el testimonio que se desprende en nuestro tiempo de la práctica de las comunidades populares cristianas en Centro América, donde la presencia de los creyentes en los procesos de cambio social desempeña un papel determinante.

En *tercer lugar* hay que mencionar la transformación que se opera en la ocasión de la celebración. El pan es pan, pero también hay algo más. Lo mismo acontece con el vino. No se trata de una transformación química de los elementos, pero sí una transformación del *acontecimiento.* Hay que considerar todo esto al mismo tiempo: el pan, el vino *y la amistad.* Es ésta la que agrega el algo más. No es lo mismo comer solo que en comunión. No es lo mismo comer resignado frente a la muerte que hacerlo con esperanza y alegría. Es la existencia de una comunidad de amigos comprometidos en el testimonio del Reino de Dios que produce la modificación del acontecimiento. Esto equivale a decir que es Jesús quien lo efectúa, porque sin él ese grupo de compañeros no sería como es. Es Cristo quien transforma esa comunidad: la eucaristía es el momento en que ella se reúne en torno a la Mesa del Señor para tomar fuerzas e inspiración que la llevarán a dar un testimonio de unidad en las luchas que tendrá ineluctablemente que enfrentar a lo largo de su camino hacia el Reino. A través de esa marcha, la existencia de la comunidad que *vive y celebra* la Cena, estará caracterizada por "la fracción del pan", por la partición de bienes, por una variación constante del tema "compartir".[9]

El carácter transformador de la participación en la Santa Cena lleva a afirmar que no puede haber eucaristía sin conversión, sin *metanóia.* Esta se pone de manifiesto por una actitud de *disponibilidad al servicio de los otros,* lo que lleva a vivir actos de sacrificio. De la inmolación de Jesús en la cruz, hecha una vez por todas[10] testimonia la actitud que se presta a la ayuda desinteresada, al amor que se da sin esperar reciprocidad. Esta actitud es la expresión de nuestra *acción de gracias,* de nuestra *EUCARISTIA* a aquél que se dio entero por nosotros. Esa manera de ser, ese estilo de vida, no es fruto de fuerzas humanas, egoístas, marcadas por el pecado, sino resultado de la presencia del espíritu de Jesucristo en la vida de los creyentes. Vivir en actitud de acción de gracias es afirmar la importancia del sacramento. Este

> es comunión y amor que nos vigorizan contra la muerte y todo mal. De este modo la comunión tiene dos aspectos: primero, disfrutamos de Cristo y de todos los santos; segundo, permitimos que también todos los cris-

9. Cf. Tissa Balasuriya, quien a partir de esta constatación presenta un argumento muy provocativo: "La Eucaristía no indica un modo de producción o una forma de organización social. Sin embargo, exige una solidaridad concreta, expresada en libertad. En este sentido, la Eucaristía se relaciona mejor con una sociedaad realmente socialista. Nadie debería pasar necesidad. Todas las cosas deberían ser para satisfacer las necesidades de todos. El sacrificio de uno mismo deber ser más importante que el egoísmo y la adquisición de bienes para uno mismo". *Op. Cit.*, pp. 80-81.
10. Ver cap. II.

tianos disfruten de nosotros, en cuanto ellos y nosotros podamos. De tal manera el amor egoísta queda extirpado por este sacramento y entra un amor altruista hacia todos los hombres.[11]

Tal es la conversión.

11. Lutero: *Sermón Acerca del Dignísimo Sacramento del Santo y Verdadero Cuerpo de Cristo y las Cofradías. Obras de Martín Lutero.* Vol. 5. Buenos Aires: Editorial Paidós; 1971. p. 215.

CAPITULO VI

"ESTO ES MI CUERPO"

> Después tomó el pan y dando gracias lo partió y se lo dio diciendo: "Esto es mi cuerpo que es entregado por ustedes. Hagan esto en memoria mía".
>
> (Lucas 22:19)

Ya se ha dicho que la fiesta de la pascua para los judíos es la ocasión en la que se conmemoraba la liberación de Egipto. Según la conciencia nacional de Israel, la primera pascua tuvo lugar en el territorio del opresor, el día 14 del mes en que se inicia la primavera en el hemisferio Norte (Cf. Ex. 12). El relato del libro del Exodo se refiere a continuación a la fiesta de los panes sin levadura. En el tiempo de Jesús ambas solemnidades se celebraban como una sola, mas hay claras evidencias de que en el pasado se trataba de fiestas diferentes, con orígenes distintos. La fiesta del sacrificio del cordero, que debe ser inmolado sin que se le quiebre ni un solo hueso, tenía un origen nómade, pastoril. La celebración de los panes ázimos, en cambio, pertenecía a la tradición de pueblos agricultores, sedentarios. Posiblemente, la fiesta nómade tuvo sus comienzos en tiempos anteriores a Moisés. Llegó a combinarse con la festividad agraria después que los hebreos ocuparon el país de Canaán. Tanto una como otra celebración tenía lugar más o menos al mismo tiempo, cuando, luego de los rigores invernales, se vuelve a manifestar la fuerza de la naturaleza y la vida irrumpe nueva y salvajemente con el vigor silvestre de la primavera.

Lo que merece destacarse es que al combinarse ambas tradiciones, el significado de la ocasión que motivaba la alegría del pueblo era claro: conmemoraba la liberación que Yahvé dio a Israel al sacarlo de la opresión de Egipto. El pasado nómade y el presente rural se referían al mismo acontecimiento como el hito fundamental de la historia del pueblo.

En ocasión de aquella época del año, cuando Jesús tuvo su última cena con sus doce discípulos, intentó dejarles un testamento, como si hubiese querido firmar una alianza con ellos, imprimiendo en sus conciencias las promesas de su Evangelio.[1] De ahí los comentarios con que acompañó la fracción del pan y las libaciones. Esas palabras, claramente explicitadas en los Evangelios Sinópticos, no aparecen en el de Juan. En éste, la tradición nómade se perpetúa en la forma como se presenta la pasión de Jesús: éste –según el testimonio del Cuarto Evangelio– fue sacrificado al mismo día en que se mataba el cordero pascual. Y, al igual que éste, no tuvo huesos quebrados. Esto no significa, empero, que Juan privilegia lo pastoril sobre lo agrario. En el capítulo 6 de su Evange-

1. Juan Calvino: *Petit Traité de la Sainte Cène.* Paris: Les Bergers et les Mages; 1959. p. 17: "He ahí por qué el Señor ha instituido para nosotros su Santa Cena: primeramente, a fin de firmar y sellar en nuestras conciencias las promesas contenidas en su Evangelio, que nos hacen participantes de su cuerpo y de su sangre, dándonos la certeza y la seguridad de que en eso yace nuestro alimento espiritual".

lio, cuando se acercaba otra Pascua (6:3), se da un testimonio de la multiplicación de "cinco panes de cebada y dos pescados" (6:7-8), satisfaciendo a cinco mil personas que seguían a Jesús. Al día siguiente lo encontraron del otro lado del lago, cerca de Cafarnaum. Jesús era consciente que no lo buscaban por los *signos* que les había manifestado, mas por el *pan* que había comido (6:26). Eso le da ocasión para hablar del "pan del cielo" y del "Pan de Vida" (6:31, 35):

> En realidad no fue Moisés quien les dio *pan* del cielo. Mi padre es el que les da el verdadero *pan* del cielo. El *pan* que Dios da es éste *que ha bajado del cielo* y que da vida al mundo.

Ellos dijeron: "Señor, danos siempre de ese *pan*". Jesús les dijo:

> Yo Soy el *Pan* de Vida. El que viene a mi nunca tendrá hambre, el que cree en mi nunca tendrá sed. (. . .) Yo soy el *pan* de vida. Vuestros antepasados, que comieron el maná en el desierto, murieron. Aquí tenéis *el pan que bajó del cielo* para que el que lo coma no muera. Yo soy el *pan* vivo *bajado del cielo,* el que coma de este pan vivirá para siempre. El *pan* que Yo les daré es mi *carne*, y la daré para la vida del mundo.

Los judíos discutían entre ellos. Unos decían: "¿Cómo este hombre va a darnos a comer su carne"? Jesús les contestó:

> En verdad les digo; si no comen la *carne* del Hijo del Hombre, y no beben su sangre, no tendrán la vida. El que come mi *carne* y bebe mi sangre tiene vida eterna y lo resucitaré en el último día. Mi *carne* es comida verdadera y mi sangre es comida verdadera. El que come mi *carne* y bebe mi sangre vive en mí, y Yo en él. Como

> el Padre que vive me envió, y Yo vivo en él, así quien me come a mi tendrá de mi la vida. Este es el *pan que bajó del cielo,* no como el que comieron vuestros antepasados, los cuales murieron. El que coma de este pan, vivirá para siempre (6:32-35; 48-58).[2]

La convergencia de la tradición nómade y de la sedentaria dan a la fiesta de la pascua una gran riqueza de sentido. Sería injusto pretender que la solemnidad tenga un significado que prevalece sobre el otro. Como en ocasión de toda fiesta popular, a través de ella se manifiestan valores y esperanzas de diversa índole. En el caso de la pascua, el nudo central es el gran tema bíblico de la liberación/salvación, con múltiples resonancias.

Nos parece obvio que Jesús aceptó esta riqueza. De ahí que al abordar la reflexión sobre las palabras con las que comentó su ofrecimiento del pan fraccionado, y de las copas de vino, lo hacemos con la convicción de que es imposible agotar el sentido de esas palabras y clausurar el debate que han originado. Jeremías señala, y creemos que lo hace con mucha razón, que "las palabras de meditación pronunciadas por Jesús en esa ocasión no han sido preservadas".[3] Sería una presunción exagerada pretender una comprensión to-

2. Ciertamente las palabras que están en el Evangelio de Juan no concuerdan con las que según el testimonio de los otros Evangelios Jesús habría pronunciado al partir el pan en ocasión de la última Cena. Además, como ya se ha visto, la fecha de este acontecimiento en el relato de Juan no coincide con la fecha de los Sinópticos. Según J. Jeremías, el propósito que debe haber movido a Juan a no explicitar las palabras de consagración del pan y el vino, así como también a no aclarar suficientemente el carácter de la Cena, consistía en querer *evitar la profanación de la celebración eucarística*, que sólo debía llevarse a cabo con la presencia de los bautizados, y de la que otros tenían que ser mantenidos a distancia. Cf. *Op. Cit.*, p. 125-ss.

3. *Ibid.*, p. 219.

tal y cabal del significado dado por Jesús a ese acto tan especial de su vida ante la inminencia de su muerte.

Es necesario también ser consciente de que, al acceder a este nivel de reflexión es inevitable la polémica, aunque no nos lo propongamos. La misma fue durante siglos sumamente pasional, compleja, cambiante, y desgraciadamente no siempre clara ni honesta. No obstante, no es posible dejar de señalar las posiciones clásicas en torno a la cuestión de la *presencia real* de Jesucristo en la Cena. La posición oficial del Concilio de Trento de la *Iglesia Católica Romana* (1545-1564) subraya que Cristo está presente, verdadera, real y substancialmente en el sacramento, bajo la forma de los elementos de pan y vino. Por la consagración de los mismos se opera la conversión de la substancia del pan y del vino en la substancia del cuerpo y de la sangre de Cristo. Esta transformación es llamada "transubstanciación" en la Iglesia Católica. El pan y el vino siguen siendo cuerpo y sangre de Cristo después de la celebración. Pueden ser llevados a los enfermos y conservados en las iglesias.

> El sacramento de la eucaristía, instituido como alimento, puede ser igualmente objeto de un culto de *adoración,* dado que la fe reconoce en él la misma presencia de Cristo Dios.[4]

El antecedente de esta posición fue definido en el 4° Concilio de Letrán (1215).

En cambio, para las Iglesias Ortodoxas, entre cuyos teólogos a lo largo de la historia se aprecia una vasta gama de matices en la interpretación de la eucaristía, ésta aparece como el *locus,* el espacio de la Verdad.

4. Max Thurian. *Le Mystère de l'Eucharistie.* Paris: Ed. du Centurion; 1981. p. 60.

Jesucristo es quien recibe y quien visita en la eucaristía. La Iglesia no tiene otra experiencia de la Verdad sino en la celebración del sacramento, cuyo alcance va más allá de los límites de la comunidad eclesial, para llegar a englobar todo el cosmos. La eucaristía es razón de ser de la comunidad de la fe, de su salvación, de su libertad. Es Cristo mismo, la Verdad encarnada, el *Logos,* quien está en la eucaristía. La comunidad que la celebra

> es el cuerpo de Cristo por excelencia, justamente porque ella encarna y realiza nuestra comunión en la vida y la comunión misma de la Trinidad de una manera que preserva el carácter escatológico de la Verdad haciendo de ella una parte integrante de su historia.[5]

Cuando se desencadenó la Reforma Protestante (frente a la que el Concilio de Trento resumió la posición expuesta poco antes) surgieron varias orientaciones. En primer lugar la de Lutero, que admite la *presencia real* de Cristo en el pan y el vino, al mismo tiempo que éstos también mantienen su substancia. Esta posición, conocida por *consubstanciación,* había sido previamente propuesta por Pedro d'Ailly.[6] Es una expresión de respeto al texto de las Escrituras, donde las explícitas afirmaciones con respecto al pan como cuerpo de Cristo, y al vino como su sangre, no pueden matizarse.

En segundo lugar está la línea desarrollada por Zwinglio, el reformador de Zurich. Para éste la Cena es una representación simbólica del único sacrificio de

5. Jean Zizioulas: *L'Etre Ecclèsial.* Genève: Labor et Fides; 1981. p. 102.

6. Cf. Henri Strohl. *La Pensée de la Reforme.* Neuchâtel et Paris: Delachaux et Niestlé; 1951. p. 230. "Según esta tesis, el pan y el vino y el cuerpo y la sangre de Cristo están simultáneamente presentes en la Cena".

Jesucristo en la cruz. El pan y el vino son símbolos que ayudan a esa conmemoración. El choque con la posición de Lutero fue frontal. En el coloquio de Marburgo sus posiciones fueron irreconciliables.

En tercer lugar, pocos años después, Calvino dio a conocer su *Pequeño Tratado de la Santa Cena,* donde desarrolla una tesis diferente, que no dejó indiferente a Lutero. En ese opúsculo Calvino insiste que Cristo está realmente presente en la Cena de *manera espiritual.* Su posición puede ser reconocida como *concomitancia:*

> Así sucede con la comunión que tenemos en el cuerpo y en la sangre del Señor Jesús. Es un misterio espiritual que no puede percibir la vista, ni comprender el entendimiento humano: no es, pues, figurado por signos visibles, según lo requiere nuestra debilidad, empero de tal manera que no es una simple figura, sino una figura unida con su verdad y su sustancia. Por lo tanto, es con todo derecho que el pan se llama *cuerpo,* dado que no sólo nos lo representa, sino que así él nos lo presenta. También consideramos que el cuerpo de Jesucristo se transfiere al pan, dado que éste es el sacramento y la figura de Cristo.[7]

Las controversias entre estas posiciones infelizmente continúan. Hay que alegrarse, sin embargo, por el avance que se percibe, por un lado en una disminución clara de la carga pasional en esos debates, sobre todo a partir del desarrollo del movimiento ecuménico y de la situación de la Iglesia Católica Romana luego del Concilio Vaticano II. Y, por otro lado, por una clarificación del contenido de las posiciones involucradas en la polémica, que se manifiesta, entre

7. Juan Calvino: *Op. Cit.*, p. 27.

otras cosas, en el documento de "convergencia" producido por la Comisión de Fe y Constitución del Consejo Mundial de Iglesias, que lleva por título: *Bautismo, Eucaristía, Ministerio.*[8] Aún queda mucho camino por andar para alcanzar una participación de *todos* los cristianos en *cada lugar* en torno a una *sola Mesa;* no obstante, hay razones para comprender que se está avanzando al respecto.

Entre ellas hay que hacer mención especialmente a los cambios introducidos en la liturgia católico-romana de la celebración eucarística durante el último Concilio. Max Thurian lo explica muy bien:

> Las nuevas palabras del ofertorio de la liturgia católica son muy ricas de significado. El pan es *el fruto de la tierra,* el vino es *el fruto de la viña,* uno y otro son frutos *del trabajo del hombre;* los presentamos al Dios del universo *para que lleguen a ser pan de la vida* y *vino del Reino eterno,* el cuerpo y la sangre de Cristo. La liturgia aquí indica un doble pasaje: el trigo y la viña fueron trabajados por el hombre para llegar a ser pan y vino; el hombre los ofrece al Creador, a fin de que por su Espíritu los trabaje para hacer de ellos el Cuerpo y la Sangre de Cristo. Este doble pasaje de la creación está significado por el ofertorio de la consagración.[9]

Ahora bien, sin dejar de tener en cuenta todo esto y también sin disminuir su importancia, es necesario concentrarse sobre todo en los textos que nos llegan a través del testimonio bíblico. Entre ellos, posiblemente el más antiguo es el de San Pablo en la Ia. Epístola a los Corintios (11:23-25). Luego están los de Marcos y Mateo (Mc. 14:22-25; Mt. 26:26-29); el

8. Barcelona: Ediciones de la Facultad de Teología de Barcelona; 1983. pp. 25-39.
9. Max Thurian: *Op. Cit.*, pp. 32-33.

de Lucas, que posee acentos muy particulares (Luc. 22:14-20), y por último el testimonio de Juan que mencionamos al comienzo de este capítulo.

Si bien no es posible decir definitivamente si la última Cena de Jesús con los doce fue o no una comida pascual[10], es evidente que la misma tuvo como marco la estación de la gran fiesta judía. Imposible, pues, sustraerse a su influencia. La cena pascual comenzaba con una primera copa, seguida del primer plato, en relación al que se proclamaban las primeras palabras de interpretación sobre el pan sin levadura. De ahí la importancia de la Palabra en la solemnidad eucarística. Son las palabras de Jesús un elemento clave en la misma.[11] Por eso debemos dar grande importancia a las mismas (sin dejar de tener en cuenta lo que decía J. Jeremías: estamos muy lejos de haber recibido un testimonio prolijo de los comentarios de Jesús al ofrecer el pan y dar a beber el vino en aquella Cena.[12]

En ese marco pascual tuvo lugar la fracción del pan:

> Después tomó el pan y dando gracias lo partió y se lo dio (a los discípulos), diciendo: *"Esto es mi cuerpo,* el que es entregado por ustedes. Hagan esto en memoria mía" (Luc. 22:19).

¿ Qué es "ésto"? En primer lugar se trataba del pan

10. Véase cap. I.
11. San Ambrosio: *De Sacramentis IV*, 14-15 hacía notar pertinentemente que es por la palabra de Cristo que todo esto ha sido hecho: "El ha ordenado, todas las criaturas han sido luego engendradas. Tú ves cómo es eficaz la palabra de Cristo. Si hay en la palabra de Jesús tanta fuerza que lo que aún no era comenzó a ser por ella, cuánto más eficaz debe ser para hacer que exista lo que era, y que sea cambiado en algo diferente". Citado por Max Thurian: *Op. Cit.*, p. 45.
12. Cf. nota[3].

que Jesús acababa de partir, el alimento fundamental para los pueblos que practican la cultura del trigo. En segundo lugar, "esto" puede llegar a significar el acto de compartir, el don u ofrenda de sí mismo que se entrega por otros. El fraccionamiento del pan es imagen, figura, de la propia dádiva de Jesucristo. Ese acto de compartir era la impronta misma de la persona de Jesús, quien pasó su existencia haciendo el bien y amando.[13] En tercer lugar, esta acción significa –y Jesús lo señaló con sus palabras– que *el mismo Jesús es la sustancia del sacrificio,* que ofrece su cuerpo, "entregado por ustedes".

Ya se ha hecho mención en el capítulo II del carácter definitivo que el autor de la Epístola a los Hebreos da del sacrificio de Jesús a través de su muerte en la Cruz. Allí se presenta Jesús, por un lado, como el "nuevo Moisés", el nuevo *profeta* liberador, cuya gloria es mayor que la del primero, considerado apenas "un servidor" (Heb. 3:5) en el proceso de atender y cuidar toda la casa de Dios. "Pero otro es el caso de Cristo, que vino como Hijo, a quien pertenece la casa" (Heb. 3:6a). El profeta Moisés planteó al pueblo la necesidad de sacrificar el cordero en aquella pascua de liberación de Egipto. El sacrificio solicitado fue un anuncio de la emancipación del pueblo. En la última cena con sus amigos Jesús anunció, a su vez, la liberación definitiva: el advenimiento del Reino de Dios: "Ustedes comerán y beberán en mi mesa en mi Reino, y se sentarán en tronos para juzgar a las Doce tribus de Israel" (Luc. 22:30).

Mas, el mismo texto de la Epístola a los Hebreos dice también que Jesús es "supremo sacerdote"

13. Cf. J. Jeremías. *Op. Cit.*, p. 222.

(4:14-15). En la ofrenda de sí mismo, en la fracción del pan, se advierte este oficio de su persona:

> El punto central de nuestras explicaciones es que nosotros tenemos a un tal Sumo Sacerdote. El se fue a sentar a la derecha del Dios de Majestad en los cielos, donde sirve como ministro del Templo y del verdadero Santuario, construido no por hombres, sino por el Señor. Un sumo sacerdote cumple la función de presentar a Dios ofrendas y sacrificios, y por lo tanto, Jesús tiene que ofrecer algún sacrificio. Si se hubiera quedado en la tierra, no sería sacerdote, pues no faltan quienes ofrezcan los sacerdotes de acuerdo con la Ley. Estos, sin embargo, no celebran sino una imitación y una sombra del culto celestial. Pues conocemos la palabra de Dios a Moisés para la construcción del Santuario. Le dijo: 'Fíjate que debes hacerlo todo, imitando el modelo que te mostré en el cerro'. En cambio, ahora, Jesús fue designado para un culto superior, en cuanto es mediador de una alianza mejor y que promete mejores beneficios (8: 1-7).[14]

La superioridad del sacrificio de Cristo consiste en que no llevó sangre de animales

> sino su propia sangre, y con ella penetró de una vez por todas al Santuario y consiguió rescatarnos para siempre. (. . .) Movido por el Espíritu Santo, se ofreció a Dios como víctima sin mancha, y su sangre nos purifica interiormente de nuestras obras malas anteriores para que en adelante sirvamos al Dios que vive. (Heb. 9:12-14).

De modo más rotundo aún, en el capítulo siguiente el texto llega a decir que al ser fiel hasta la muerte a la voluntad del Padre,

14. Franz J. Leenhardt, en su libro *Le Sacrement de la Saint Cène:* Neuchâtel et Paris: Delachaux et Niestlé; 1948. pp. 119-123, señala que en la Cena, además de la figura profética y de la sacerdotal de Cristo, transparece también la del Rey resucitado.

Cristo anula el Antiguo Testamento y establece el Nuevo. Cuando Cristo Jesús sacrificó su propia persona de una vez para siempre, llegamos a ser santos por esta 'voluntad' de Dios. (Heb. 10:9-10).

Volviendo a nuestra pregunta: ¿Qué es *"esto"*? , es importante destacar toda la riqueza de contenido espiritual *sacramental* (de misterio) que encierran las líneas con las que hemos tratado de abrir apenas algunas pistas de respuesta. La constatación de esa riqueza lleva a decir que las tentativas de limitar el significado del contenido del pan y de los comentarios de Jesús al fraccionarlo, a cuestiones físicas o químicas, no hacen plena justicia a los numerosos sentidos que pueden nutrir la vida de fe a partir de aquella acción de Jesús. O sea, como lo indica Schillebeckx, al desafío –que la institución de la eucaristía plantea al creyente en Jesucristo– hay que dar una respuesta eucarística, sacramental.[15]

La fuerza del misterio allí presente se expresa a través de los efectos que obtiene. En *primer lugar,* cuando se parte el pan, se hace memoria de Cristo. No sólo se recuerda lo que Jesús hizo por nosotros, como lo pretendía Zwinglio. Ese memorial no es sólo para nosotros. También con ese acto intentamos presentar a Dios lo que fue hecho por Cristo, tratando de inducir Dios a que actúe, acelerando nuestra liberación.[16] Así, al partir el pan, hacemos memorial de Jesús.

En *segundo lugar,* es significativo que la palabra "compañero", viene de "compañía", que resulta a su vez del latín *cum* y *panis.* En la Cena se establece un íntimo compañerismo, con el Espíritu de Cristo en

15. Schillebeckx: *Op. Cit.*, p. 133.
16. J. Jeremías: *Op. Cit.*, p. 249.

primer lugar, pero también entre los participantes que comunican íntimamente entre sí. ¡Son compañeros!

> Por eso, cuando presentes una ofrenda al altar, si recuerdas allí que tu hermano tiene alguna queja en contra tuya, deja ahí tu ofrenda ante el altar, anda primero a hacer las paces con tu hermano, y entonces vuelve a presentarla". (Mt. 5:23-24).

El compañerismo supone la aceptación del otro, así como Jesús se abrió a sus discípulos, tan mezquinos en tantos sentidos, así como se abre a nosotros, entre los cuales uno mismo es el mayor pecador. Esta aceptación es la base para luchar juntos por el Reino, para sufrir juntos cuando se le hace violencia, cerrándolo a los pobres y oprimidos (Mt. 23:13), para esperar juntos el triunfo final de ese mismo Reino. Ese compañerismo consolida las bases de esa *comunidad* que actúa y se esfuerza por el proyecto que la anima. Esa es la *ekklesía.* Su esperanza se nutre del sacrificio de Jesús, pan compartido...[17]

En *tercer lugar,* la fracción del pan en la eucaristía, es un llamado que Jesús nos dirige para ser sus discípulos. Seguir a Jesús en este camino es difícil. Muchos, ya en su tiempo, dejaron de hacerlo. Eso ocurrió, por ejemplo, luego de que Jesús habló de sí como "el pan de vida" (Juan 6:51-59):

> Cuando oyeron todo esto, muchos de los que habían seguido a Jesús dijeron: ' ¡Este lenguaje es muy duro! ¿Quién puede sufrirlo? (6:60). Cuando preguntó poco después a los doce si ellos también querían dejarlo, vino la respuesta de Pedro: 'Señor, ¿a quién iríamos? Tú tienes palabras de Vida Eterna. Nosotros sabemos y creemos que tú eres el Santo de Dios' (6:68-69).

17. Véase Schillebeckx: *Op. Cit.*, pp. 99-101.

Es la expresión de la fe que no tiene miedo porque está poseída por la fuerza que comunica el mismo Jesús.

Sin embargo, en la noche de la pasión, ese mismo Pedro negó a Jesús tres veces. La reflexión sobre todo esto lleva a la comunidad eucarística a recordar que el pan dado y recibido es compromiso de lucha, de oración, de esperanza en el Reino que viene. A la recordación, el memorial, *anamnesis,* acompaña indisolublemente el testimonio militante por el Reino de Dios.

En *cuarto lugar,* es tanta la riqueza de vida que existe en este recuerdo, en este compañerismo, en este discipulado de Jesús, que todo eso lleva a *dar gracias*: ¡*eucaristía*! Es dar gracias por la gracia. Hay tantos dones en la presencia de Jesucristo en la comunidad que camina hacia el Reino, que otro de los frutos que hace nacer en ella tanta abundancia es una actitud humilde, de reconocimiento por recibir tanto sin merecer nada. El pan compartido es signo y presencia de tanta maravilla.

Todo esto nos lleva a concluir señalando que, posiblemente, ante el pan que es partido en la eucaristía, la pregunta básica no debe ser: *¿Qué es "esto"?*, sino: ¿Quién *está* allí? ¿Quién *es* aquél que se manifiesta en ese misterio? Y la respuesta de la fe no puede menos que reconocer la presencia de Jesucristo. Como lo escribió Calvino:

> Tenemos pues que confesar que si la representación que Dios nos ofrece en la Cena es verdadera, la sustancia exterior del sacramento está unida a los signos visibles: del mismo modo que el pan nos es distribuido en la mano, también el cuerpo de Cristo nos es comunicado, para que participemos en el mismo.[18]

18. Calvino: *Op. Cit.*, p. 28.

CAPITULO VII

"ESTA ES MI SANGRE"

> Después de la Cena, hizo lo mismo con la copa. Dijo: "Esta copa es la Alianza Nueva sellada con mi sangre, que va a ser derramada por ustedes".
>
> (Lucas 22:20)

En toda cultura, cuando los seres humanos se reúnen, y comparten una bebida, haciendo un momento de pausa en sus actividades, esta ocasión tiene un aspecto especial, que sale de lo común. Es una circunstancia en la que se intercambian buenos augurios entre los que comparten ese trago. Situación en la que muchas veces salen a la superficie aquellos anhelos y esperanzas que cada uno guarda cuidadosamente dentro de sí. Y, si se trata de beber el fruto de la uva, poco a poco un cierto ánimo invade a quienes levantan copas, cruzan miradas y afirman su compañerismo. Esto, que a veces ocurre de manera imprevista, es parte de lo normal en ocasión de las fiestas. Parecería que éstas no se concretan sin que haya algo para beber.

El vino es motivo de encuentro. Es triste beberlo solo. Entonces el pesar y la melancolía invaden a quien así lo hace. Mas cuando el vino es compartido la amistad se estrecha, las decisiones comunes parecen ser más firmes, el sentimiento de comunicarnos con otros alegra el espíritu. La fuerza de la tierra, absorbida por la vid, llega a quienes escancian en las copas el producto de los frutos de las cepas. Es calor y es refresco de gotas de rocío al mismo tiempo. Es satisfacción de la vida y regocijo de la amistad compartida.

La celebración de la pascua en Israel, como ya se hizo notar previamente, era una circunstancia para este tipo de situaciones. El motivo no podía ser mejor: el recuerdo exultante de la liberación que Yahvé dio al pueblo. Las copas circulaban, rebosantes de vino mezclado con hierbas aromáticas y un poco de agua. Y la gratitud a Dios, al igual que la alegría de la comunidad, crecía sin cesar.

Los relatos evangélicos de la última Cena, con excepción de la narración de Lucas, dan testimonio de que Jesús hizo circular entre los discípulos una sola copa. Las palabras de San Pablo a los Corintios (I Cor. 11:23-26) van en la misma dirección. En el texto de Lucas, empero, se mencionan dos copas. En ocasión de distribuir la primera, Jesús indicó su voluntad de abstinencia: "Tómenla y repártanla entre ustedes, porque les aseguro que ya no volveré a beber más los productos de la uva hasta que llegue el Reino de Dios" (Luc. 22:17-18). La forma empleada para entregar la copa a los doce da claramente a entender que Jesús no quiso beber de la misma. La ofreció a sus compañeros con una promesa que era como un brindis: "la próxima será en ocasión del Reino", cuando la alegría de la liberación sea diáfana y total.

A esa primera copa, Lucas hace seguir el fraccionamiento del pan. Cada vez que se repita el gesto entre los que creen en Cristo, será en memoria suya. Fue luego de la cena que Lucas narra que Jesús hizo circular una segunda copa diciendo: "Esta copa es la Alianza Nueva con mi sangre, que va a ser derramada por ustedes" (Luc. 22:20). En esta parte del texto del tercer Evangelio hay una clara convergencia con las tradiciones que manejan San Pablo, Mateo y Marcos. El primero testimonia que Jesús, luego de haber comido, tomó la copa y comentó: "Esta copa es la Nueva Alianza en mi sangre. Siempre que beban de ella háganlo en memoria mía". El momento de recordación, *anamnesis*, es subrayado una vez más por el apóstol de los gentiles.

En Mateo y en Marcos, (Mt. 26:27-29; Mc. 14:23-25), la copa que Jesús da a beber es llamada "sangre de la alianza que será derramada por los hombres:" (Mateo agrega: "para que se les perdonen sus pecados"). Sigue después en ambos textos el voto de abstinencia hasta que sea posible volver a beber "el vino nuevo en el Reino de Dios". Nuevamente, la entrega de la copa se acompaña con una nota de esperanza.

Lo que interesa especialmente es el sentido de la "copa". Dar a circular una de ellas no es un elemento nuevo en la comida pascual de los judíos. Sin embargo, al analizar con cuidado los textos, surge la convicción de que Jesús aprovechó la oportunidad de aquella cena con los doce para instituir una nueva celebración. El memorial ya no se refiere a la liberación de Egipto: se trata de su persona, de su cuerpo, que como el pan es partido para bien de muchos. Y, del mismo modo, se debe beber la copa de vino como "*la nueva alianza*", el *nuevo pacto* concluído con quienes compartieron juntos aquella marcha y aquellas luchas que tuvieron la fuerza que surgía de un empeño común por hacer presente el Reino de Dios. El contenido de la copa, el vino, es signo de la sangre de Cristo derramada por los seres humanos ("por ustedes", según Lucas; en tanto que Mateo y Marcos testimonian "por los hombres").

El significado de la copa es muy rico. Puede querer decir "la parte de vida", "la predisposición de vida que a uno le ha tocado", aquello que define la propia existencia. En la narración de Marcos y de Mateo, cuando luego de cenar fueron al huerto de Ghetsemaní y Jesús comenzó a orar angustiadamente al Padre, sus palabras fueron: "aparta de mí esta *copa*". Antes también había interpelado a los hijos de Zebedeo: "¿Podeís beber la *copa* que yo tengo que beber?" (Mt. 20:22; Mc. 10:38), queriendo preguntar si estaban dispuestos a compartir plenamente su suerte. Este sentido dado a la "copa" ya estaba presente en el Antiguo Testamento, tanto en la literatura profética (cf. Jer. 25:15; Ez. 23:31) como en los Salmos (cf. 16:5-11; 23:5; 116:13).

> En consecuencia, 'la copa' ya es en el Antiguo Testamento una expresión corriente para designar el destino (feliz o infeliz), y lo que fue verdad para tiempos antiguos también lo que fue para los contemporáneos de Jesús y para éste. El significado simbólico de la copa era aún mucho más claro y más inmediato para Jesús y sus discípulos dado que la copa ocupaba un lugar particular en el ritual pascual, según se ha recordado: ella era el símbolo de las decisiones de Yahvé frente a las naciones por su pérdida, y frente a Israel por su redención. Se puede

incluso pensar que la bendición de la copa en la comida pascual tenía como propósito asegurar un favor particular de Dios a los participantes. Beber de la copa significaba participar en las bendiciones especiales del Dios redentor de Israel.[1]

Pero el simbolismo que encierra la "*copa*" va más allá de todo esto. En la cultura del Cercano Oriente (como también en aquéllas donde el cultivo de la viña y de la producción del vino es un elemento dominante que deja su marca en el estilo de vida de la población) se advierte en la copa un sentido que combina al mismo tiempo símbolo y realidad: la *copa* que se bebe junto con otros, que se comparte, es como una garantía, un sello (elementos visibles) que da valor y vigencia a un elemento invisible, como es el vínculo subjetivo profundo que reúne a quienes participan en la libación. La *copa* es marca de un acuerdo, de una amistad, de un convenio, de un pacto. Terminado el trato, la alianza, sigue el momento de confirmarla en el acto de beber de la copa común. Este rasgo es propio de pueblos que saben cultivar la hospitalidad y las relaciones humanas, y que son conscientes de cómo el vino ayuda a superar distancias y a destruir barreras entre las personas.

La *copa*, pues, es signo de un lazo profundo y fuerte que une a las personas. En aquellas ceremonias en las que quienes participan llegan a beber juntos se advierten aquellos rituales que denotan el cuidado por el otro: no se levanta el vaso antes que los demás lo hagan; se bebe deseando buenas cosas a los demás, mirándose a los ojos (desviar la mirada en el momento de beber es signo de deslealtad, anuncio de traición) y

1. Franz J. Leenhardt: *Le Sacrement de la Sainte Cène.* Neuchâtel et Paris: Delachaux et Niestlé; 1948. pp. 44-45.

se escancía el contenido de la *copa* hasta el final indicando la voluntad de no despreciar al otro, sobre todo si es quien ofrece la bebida. De este modo se autentica la amistad. No se llega a ser amigo hasta que no se bebe con el otro. Así se sella el compañerismo.

En ocasión de la última cena, la *copa* ofrecida por Jesús certifica y legitima por adelantado el gesto de su entrega definitiva, su sangre derramada por los hombres, entre quienes en primer lugar estaban sus compañeros. Eso se percibe, por un lado, cuando se tiene en cuenta la ocasión en la que bebieron juntos: la celebración de la pascua. Ya lo habían hecho en muchas otras oportunidades. Incluso en momentos de mayor descontracción, como en las bodas de Caná de Galilea (Juan 2:1-12). En la celebración de esa última comida culminaba la relación de Jesús con los doce: se habían reunido para cenar en un marco de fiesta por la liberación y la esperanza de Israel.

Y también, por otro lado, porque al brindar la *copa* y decir que era el pacto nuevo sellado con su propia sangre, Jesús dio a entender que se ofrecía por entero, sin restricciones a la causa del Reino de Dios que compartía con aquel grupo de discípulos. El sabía que iba a morir, que la hora de su destino se había aproximado, que el horizonte de su existencia humana se estaba cerrando. Entregando la *copa* a los compañeros da una señal de que en su espíritu aguarda que los discípulos –pese a sus debilidades y aspectos negativos– mantengan la fuerza y la disposición para seguir testimoniando del Evangelio caminando hacia el Reino de Dios.

Ciertamente, estamos frente a un hecho sacramental, frente a un misterio. La Iglesia, durante los primeros siglos de su historia, nunca se vio perturbada por esta relación entre la realidad de una comunidad de fe que comparte pan y vino, y el misterio de la presencia de Jesús en esta celebración.[2] Más tarde comenzó toda la argumentación pseudoalquímica que pretendió con palabras transformar los elementos, motivando la reacción prosaica y simple de algunos, que no ven más que pan y vino, sin llegar a percibir que son signos de algo más profundamente real: una comunidad que existe para luchar por un nuevo mañana, para dar testimonio de la esperanza en el Reino de Dios en medio de un mundo adverso. Y eso supone un espíritu, una fuerza, un empeño, "aquellos mismos sentimientos que tuvo Jesús", los que lo movieron a dar su cuerpo para nuestro bien y regar con su sangre la tierra para que florezca nuestra liberación.

El misterio, el sacramento, no está limitado al pan y al vino. Como todo lo que trasciende a los límites del conocimiento humano se relaciona con innúmeros aspectos de la realidad. Como bien lo señala la tradición de la teología oriental, tiene alcances cósmicos. Mas, para percibirlo, son necesarios los ojos de la fe. Sólo se capta en el plano del espíritu.[3] Es decir, no es

2. Max Thurian. *Le Mystère de l'Eucharistie.* Paris: Ed. du Centurion; 1981. p. 50

3. Cf. San Agustín: *Sermón* 272, in PL-38, col. 1246-1247: "(. . .) ¿Cómo es que el pan es Su cuerpo? ¿Y el cáliz, o más bien lo que el cáliz contiene, cómo es que es su sangre? Hermanos, estas cosas son llamadas *sacramento* , porque una cosa es lo que se ve, y otra diferente es lo que se entiende. Lo que se ve tiene apariencia corporal, pero lo que se entiende es un fruto espiritual. Por lo tanto, si deseas entender el cuerpo de Cristo, escucha al Apóstol, quien dice a los creyentes: "Vosotros sois el cuerpo de Cristo y sus miembros" (I Cor. 12:27). Y, por lo tanto, si sois el cuerpo de Cristo y sus miembros, es vuestro misterio que ha sido colocado sobre el altar del Señor; vosotros recibís vuestro

con la mente de quien permanece intentando entender la realidad con las categorías de la filosofía natural que se llega a entrar en el espacio del sacramento. Este es mucho más que materia: es símbolo y realidad trascendental también.[4] Es con aquella abertura de la vida de la fe, con el coraje que exige caminar hacia el Reino y la certeza que acompaña la presencia de Jesús a nuestro lado que el misterio comienza a tener significado. Tal fue la experiencia que vivieron los caminantes de Emaús, quienes gradualmente fueron perdiendo el miedo y la resignación que sintieron luego de la muerte de Jesús, a medida que éste –de modo incógnito– los acompañaba y les explicaba todo lo que las Escrituras decían sobre él. La revelación definitiva ocurrió cuando se sentaron juntos a la mesa: entonces

> tomó el pan, lo bendijo, lo partió y se lo dio. En ese momento se les abrieron los ojos y lo reconocieron, pero ya había desaparecido (Luc. 24:30-31).

Es la fe que conduce al espíritu humano a percibir la *Nueva Alianza*, que no está basada en las exigencias de la Ley, tal como era el caso de la antigua. Es la muerte de Cristo que legitima esa nueva situación. Su sangre fue derramada por los hombres.

> Y por eso, Cristo es el 'mediador' que nos aporta la Nueva Alianza. Al morir para pagar por nuestros pecados, cometidos en el tiempo de la primera alianza, consiguió que los elegidos de Dios recibieran la herencia eterna y prometida. Cuando se hizo un testamento, hay

propio misterio. Respondeís "Amén" a lo que sois vosotros, y al responder lo aceptáis. Porque oís "El cuerpo de Cristo" y respondéis "Amen". Que seais miembros del cuerpo de Cristo, para que vuestro Amén pueda ser verdadero.

4. E. Schillebeckx: *Op. Cit.* p. 99.

que esperar y comprobar la muerte del testador. Pues un testamento vale solamente después de la muerte, y no tiene fuerza durante la vida del testador (Heb. 9:15-17).

La *nueva alianza* se abre a todos aquellos que creen en el Evangelio. No exige la purificación ritual como regla para participar en ella. Es la alianza de los libres, de los que viven según el Espíritu (II Cor. 3:17: "El Señor es el espíritu, y donde está el Espíritu del Señor, allí está la libertad").

La *Nueva Alianza* –la *copa*– tiene vigencia porque Jesús, que la ofreció, vino a hacer la voluntad de Dios. Este no quiere asambleas ruidosas, reuniones formales, ni más holocaustos, ni tristes ayunos, sino que se viva en amor, fundamento de la *comunión*, sin la cual los esfuerzos por la justicia y la liberación pierden contenido. Ya había dicho el profeta Isaías:

> Ustedes ayunan entre peleas y contiendas y golpean con maldad. No es esta clase de ayunos como los de hoy en día, los que lograrán que se escuchen sus voces allá arriba. No es así como debe ser el ayuno que me gusta, o el día en el que el hombre se humilla. ¿Acaso se trata nada más de doblar la cabeza como un junco o de acostarse sobre sacos y ceniza? ¿A eso llamas ayuno y día agradable a Yahvé? ¿No saben cuál es el ayuno que a mí me agrada? Romper las cadenas injustas, desatar las amarras del yugo, dejar libres a los oprimidos, y romper toda clase de cadenas. Compartirás el pan con el hambriento, los pobres sin techo entrarán en tu casa, vestirás al que veas desnudo y no volverás la espalda a tu hermano (Is. 58:4-7).

Este nuevo pacto de Jesús con los suyos es aquel que profetizó Jeremías: la ley está en el corazón que responde a la acción liberadora de Cristo (Jer. 31:31-34; 32:36-44). Es potencial motivador que lleva a los creyentes a la búsqueda del Reino por sobre todas las cosas. O sea, a vivir siguiendo a Jesús.

El sacramento no es magia: sus frutos en la vida de los fieles eliminan toda sospecha de hechizo y sortilegio. Son existencias concretas las que dan cuenta del misterio. Es la vida de tantos y tantos desconocidos que, sin distinciones ni calificaciones especiales sin que nada hiciera pensar que tuvieran pasta de héroes, en estos años oscuros de América Latina pasados bajo la "seguridad nacional" y las botas militares, dieron cuenta de la esperanza a la que convoca Jesucristo con su *Nueva Alianza.* Es Jesucristo presente en medio de la comunidad que –fiel al pacto sellado con la *copa*– sirve a los pobres, es solidaria en la lucha por la liberación de los oprimidos, da testimonio de la vida abundante, oponiéndose a los poderes de muerte.[5]

La *copa,* así como el pan que es partido, son signos de una vastísima realidad.[6] Esta está penetrada por el espíritu de Jesucristo, que reúne a los creyentes y los alienta para seguir su peregrinar por los caminos del universo. Es Jesús quien marcha adelante, abriendo el

5. J. de Santa Ana. *Por las Sendas del Mundo, Caminando hacia el Reino.* San José de Costa Rica: DEI y SEBILA; 1984. p. 75-99.
6. Cf. E. Schillebeckx: *Op. Cit.* p. 148: "La inadecuación del conocimiento humano de la realidad cuenta para tener presente una cierta diferencia entre la realidad y su apariencia como fenómeno. En este sentido, el fenómeno es el *signo* de la realidad, significa la realidad. En consecuencia, en este contexto, lo "fenomenal" no sólo incluye lo sensorial, sino también toda otra cosa que expresa la misma realidad o que se nos aparece concretamente. O sea, entonces, inadecuada a lo que es expresado (la realidad como un misterio). El conocimiento explícito de la realidad es por lo tanto una compleja unidad, en la que una abertura *activa* a lo que se comunica a sí mismo como realidad es acompañado por un *dar significado.* Lo que de hecho se me presenta por delante y se me manifiesta, también actúa como una norma para establecer el significado que doy a la realidad".

surco. Es su presencia espiritual, de cuyo alcance inconmesurable nadie puede dar cuenta, la que se manifiesta en ese banquete de pan y vino. La amistad, expresión de la comunidad, no puede faltar. Los elementos de la Cena apuntan al misterio del Reino; son sacramento de la presencia de Cristo.

CAPITULO VIII

"JESUS SE CONMOVIO"

Yo sé que se va a cumplir lo dicho por el Salmo: El que come pan conmigo se levantará contra mí. Se lo digo de antemano para que cuando suceda, ustedes crean que Yo soy.

En verdad les digo: "El que recibe al que Yo envío a mí me recibe; y el que me recibe a mí, recibe al que me envió".

Después de decir estas cosas, Jesús se conmovió y dijo con toda claridad: "En verdad os digo, uno de ustedes me va a entregar".

(Juan 13:18.21)

Sin embargo, sepan que la mano del hombre que me traiciona está sobre la mesa al lado mío. En efecto, el Hijo del Hombre se va por el camino que se le ha fijado, pero ¡pobre del hombre que lo entrega! Entonces se pusieron a preguntarse unos a otros quién de ellos iba a hacer tal cosa.

(Lucas 22:21-23)

Señala con razón Gustavo Gutiérrez que es en medio de la experiencia de la vida en comunidad que se llega a tener la vivencia de la soledad.[1] Ambas se apelan mutuamente, tanto como la liberación muchas veces condujo a los israelitas en el desierto a añorar el tiempo en el que las ollas llenas en Egipto compensaban su tiempo de opresión. Los días que Jesús vivió durante aquella semana en la que culminó su existencia humana estuvieron caracterizados por haber sido acompañado siempre por sus discípulos. Entró a Jerusalén rodeado por la multitud; fue a purificar el templo junto con sus compañeros; impartió a éstos nuevas enseñanzas; discutió con maestros de la ley, escribas y fariseos; decidió compartir la comida de pascua con sus amigos. . .

Sin embargo, y a pesar de toda esta compañía, Jesús llegó a tener conciencia de que sus compañeros no lo acompañarían hasta el fin. Aquella noche, cuando la comida en común era el signo de la fraternidad que debía unir la pequeña comunidad de Jesús y los doce, tuvo un sobresalto de emoción: uno de los suyos lo entregaría esa misma noche. Acababa de lavar los pies a todos ellos. Ante la sorpresa de los discípulos, interpelado por algunos de los mismos sobre quién podía ser el traidor, Jesús mojó el pan en la salsa que aún quedaba en el plato y se lo dio a Judas, mientras decía: "Lo que vas a hacer, hazlo pronto" (Jn. 21-27).

Los momentos que anteceden a un juicio criminal, a un interrogatorio, a una sesión de tortura, a una ejecución, llegan a adquirir muchas veces una intensidad casi insoportable. Jesús sabía que las horas de

1. Gustavo Gutiérrez: *Beber en su propio Pozo.* Lima: CEP; 1983. p. 196: "Pero no se trata de dos etapas: primero la soledad y *luego* la comunidad. Es más bien al interior de ésta que se da la vivencia de aquella".

aquella noche serían marcadas por ese carácter. ¡Entonces *se conmovió*! Ese escalofrío, esa crispación, esa tensión, ese sentimiento triste de soledad, son rasgos indelebles de su plena humanidad, ratificada al día siguiente con su muerte, precedida por la vivencia de tener que enfrentarla sin el apoyo de nadie, ni siquiera del Padre (Mc. 15:33-34). Es la hora de la oscuridad. Aquella que dio a San Juan de la Cruz la referencia para hablar de "la noche obscura del alma", y que ha motivado a Gustavo Gutiérrez el acuñamiento de una muy expresiva frase: "la noche obscura de la injusticia".[2]

Ya se mencionó previamente que, cuando se hace el esfuerzo por revivir los relatos que los Evangelios presentan de la semana de la pasión de Jesús, sorprende la densidad alcanzada por los mismos. En pocas horas se desarrollaron acontecimientos decisivos. La carga existencial de los mismos fue intensísima. El grupo de discípulos debe haberse sentido superado por lo que estaba ocurriendo. Como si fuera poco, la actividad de Jesús en aquella comida fue más que sorprendente: inesperadamente comenzó a lavar los pies a sus compañeros y a pronunciar un discurso cuyo sentido ellos no comprendieron en el primer momento.

Era evidente que el peligro en torno a la persona de Jesús iba estrechando su círculo. La compañía de los discípulos también era consciente de ello. Pero, con la excepción de Jesús y del otro protagonista, ninguno de los demás imaginaba que Judas traicionaría al Maestro. Era imposible concebir que el ecónomo del grupo, el administrador de los recursos de la comu-

2. *Ibid.*, p. 192.

nidad, pudiera llegar a un acto de tanta gravedad. Todo esto ofrece un cuadro complejo: Jesús amenazado de muerte, uno de los suyos aparece como traidor, el resto del grupo consciente del peligro, mas inconsciente al mismo tiempo de cómo éste podía concretarse. Fue una situación en la que, aunque acompañado, Jesús tuvo que sentirse inevitablemente muy solo.

> Fue en este estadio de su vida que Jesús estableció la Eucaristía. El previó que pronto abandonaría a su pueblo y a su comunidad de seguidores. Quería dejarles un signo, un símbolo, un memorial de su vida de trabajo y una manera de estar presente para ellos a través de su identificación con los pobres y con los que sufren. Para esto utilizó el símbolo de la Pascua judía. Dio a la Pascua un nuevo significado y una pertinencia mayor. El significado de la Eucaristía consistió fundamentalmente en la oblación de sí mismo para la causa de la liberación humana integral.[3]

Jesús no se lamentó. Mantuvo su decisión de ser coherente hasta el final. Uno lo traicionó. Otro lo negaría poco después. Los demás se desbandarían esa misma noche. Sabe que los que organizaron el complot quieren simplemente eliminarlo y cubrirlo de vergüenza, procurando así descalificar su obra ante los ojos del pueblo. Es una actitud bien calculada, cínica (Juan 11:47-54). Jesús no entró en ese juego. Mantuvo su integridad, su coherencia, *su espíritu libre*. Ello fue especialmente manifestado cuando vinieron a prenderlo. Era un grupo numeroso de personas. Jesús no aceptó esa provocación. Y dijo a aquellos agentes de la injusticia

3. Tissa Balasuriya: *Op. Citt.*, p. 16.

que habían venido a tomarlo preso, jefes de los sacerdotes, de la policía del Templo y de los judíos: '¿Soy un bandido para que hayan salido armados de espadas y palos? Yo estaba día a día con ustedes en el Templo y no me detuvieron. Pero ahora que dominan las tinieblas, les toca su turno' (Luc. 22:52-53).

Esa integridad y coherencia de Jesús en la práctica de su libertad es lo que caracteriza a la vida eucarística. Es el núcleo mismo de la vida del Maestro, el centro orientador de su existencia. En *primer lugar*, se trata de una vida de entrega a los demás. Fue en este aspecto sobre todo que resaltó la humanidad de Jesús, la singularidad de la misma. En él,

> Dios mismo camina por sendas de humillación y expiación, y de este modo absuelve al mundo. Dios está queriendo ser culpable de nuestra culpa. Toma sobre sí el castigo y el sufrimiento que esta culpa nos ha traído. Dios mismo busca la ausencia de la divinidad, ama a pesar de ser odiado (. . .). Ahora ya no existe más ausencia de Dios, no más odio, no más pecado que Dios no haya tomado sobre sí, sufriendo por ello y expiándolos.[4]

Por esa humanidad Jesús se hace –y en ello se expresa claramente el carácter eucarístico de su vida– plenamente solidario, incluso con quienes lo traicionan, lo abandonan y lo niegan. Como bien lo señaló Karl Barth:

> La libertad más alta de Dios es en Jesucristo la libertad de *amar.* El poder divino que se expresa en esta supremacía y en esta sumisión, es precisamente el mismo por el que Dios se rebaja y se somete a otro, con el fin de someterse a este otro, en una palabra para ser y estar plenamente con él. Es en este orden que la *comunión* más alta se establece entre Dios y el ser humano. La

4. Dietrich Bonhoeffer: *Ethics.* London: SCM Press; 1955. p. 9.

divinidad de Dios no es de ninguna manera una prisión en la que le gustaría vivir, en sí mismo y para sí mismo. Más bien es su libertad de ser en sí mismo y para sí mismo, pero al mismo tiempo con nosotros y para nosotros. Su libertad consiste en afirmarse, pero también en darse; de poseerse plenamente a sí mismo, pero también de hacerse muy pequeño. Es todopoderoso, pero su omnipotencia es la de su misericordia. Señor y al mismo tiempo servidor, juez al mismo tiempo que acusado, rey del ser humano en la eternidad, mas a la vez su hermano en el tiempo.[5]

La entrega, como sacrificio de sí mismo por amor de otro y no por obligación (por Ley), es una constante en la vida de Jesús. Aquí las exigencias sacerdotales, los legalismos, ya no tienen más lugar. No se trata, pues, de ver en la eucaristía un sacrificio ritual, sino la fuente que mueve a cada creyente a presentar su ser "como sacrificio vivo, santo, que es lo que agrada a Dios" (Rom. 12:1). La santa cena, celebración que recuerda el sacrificio de Jesucristo y que mantiene encendida la esperanza del Reino, es un acto de alabanza y acción de gracias, que necesita ser prolongado en un servicio a los que necesitan, a los oprimidos. Es una manera de ser que en su disponibilidad para los demás expresa su gratitud por la conciencia que tiene de haber recibido de Dios liberación y vida.

Jesús concretó definitivamente su sacrificio en la cruz. Max Thurian dice que:

> La cruz es un sacrificio único en el orden de la *expiación,* de la *reconciliación,* de la *redención;* la eucaristía es un acto sacramental en el orden de la aplicación

5. Karl Barth: *L'Humanité de Dieu.* Genève: Labor et Fides; 1956. pp. 25-26.

> de la salvación (remisión de los pecados) fundamentado sobre la expiación única, de la *comunión* fundamentada sobre la reconciliación única, de la intercesión fundamentada sobre la redención única. La eucaristía, sacramento del sacrificio único sobre la cruz, aplica a cada uno la salvación (remisión de pecados) obtenida de una vez por todas por la expiación de Cristo, mantiene la comunión entre Dios y los hombres, restablecida de una vez por todas por la reconciliación cumplida por Cristo, une la intercesión de la Iglesia a la intercesión celeste inaugurada de una vez por todas por la redención llevada a cabo por Cristo.[6]

En su vida sacrificial, vida eucarística por excelencia, Jesús manifestó un amor sin límites. No hay lugar, a partir de la misma, para concebir la salvación en términos contables, de méritos cuya acumulación nos haría aptos para entrar en comunión con Dios. En la ocasión de la última cena, ese amor de Jesús llegó al punto de compartir pan y vino incluso con quienes lo abandonaron y fueron cómplices de quienes complotaron buscando su muerte.

Por eso mismo la vida de Jesús llegó a plasmar una existencia eucarística: fuente de gracia y motivo de acciones de gracia. De ahí que las comunidades cristianas del Siglo I relacionaron fácilmente la persona de Jesús con los cantos del Siervo Sufridor en el texto del Segundo Isaías (Isaías 42:1-9; 49:1-6; 50:4-9; 52:13-53:12), donde se dice:

> He aquí a mi siervo a quien yo sostengo, mi elegido, el preferido de mi corazón. He puesto mi espíritu sobre él, él les enseñará mis juicios a las naciones. No clamará, no

6. Max Thurian. *L'Eucharistie:* Neuchâtel et Paris: Delachaux et Niestlé; 1959. p. 225.

gritará ni alzará en las calles su voz. No romperá la caña quebrada ni aplastará la mecha que está por apagarse. Enseñará mis juicios según la verdad. *Sin dejarse quebrar ni aplastar, hasta que reine el derecho en la tierra.*[7]

Hay quienes tienen la tendencia de relacionar el carácter eucarístico de la vida de Jesús sólo al momento de su muerte. Olvidan que el mismo Jesús indicó que vino para dar su vida en rescate de los seres humanos (cf. Mc. 10:45; Is. 53:10-ss). Es toda esa existencia de Jesús que debe ser tomada en cuenta como referencia para la *vida eucarística.*[8] Esta aparece como una riqueza de energía vital que combina una práctica de la libertad (manifestación del Espíritu), una actitud de alabanza y de acción de gracias; una disposición permanente al servicio de los que más necesitan, en solidaridad militante con los mismos; una voluntad para participar en la intercesión que pide que la liberación/salvación alcance a todos los seres humanos.[9]

La vida eucarística, que remite una y otra vez al creyente a Jesús, Dios hecho hombre, da a los fieles un carácter sacerdotal. En el sacrificio de Cristo, los cristianos encuentran el motivo que los lleva a ofrecer sus personas, consagrándolas al servicio de Dios. A través de la eucaristía se participa en la vida de entrega de Jesucristo, a la vez que allí se encuentra la fuerza y el llamado para que la propia existencia pase a ser como la de Cristo: una ofrenda de amor. Así es como se construye la comunidad que vive en la comu-

7. Isaías 42:1-4.
8. J.M. Powers. *Eucharistic Theology*. The Seabury Press, New York; 1967. pp. 73-74.
9. Cf. Thurian. *Le Mystère de l'Eucharistie*. Paris: Ed. du Centurion; 1981 p. 22.

nión. De este modo, los que creen en Cristo, los de la Iglesia,

> son piedras vivas con las que se construye el Templo espiritual destinado al culto perfecto, en el que por Cristo Jesús se ofrecen sacrificios espirituales y agradables a Dios.

De este modo, los de la comunidad de fieles

> son una raza elegida, un reino de sacerdotes, una nación consagrada, un pueblo que Dios eligió para que fuera suyo y proclamara sus maravillas. (I Ped. 2:5;9)

La vocación sacerdotal no sólo es vertical, orientada hacia Dios, sino también horizontal, dirigida al mismo tiempo hacia los seres humanos. La eucaristía, recuerdo de la obra liberadora de Jesús y expresión de la esperanza del Reino, llama al ejercicio de esta dimensión social del sacerdocio de todos los creyentes.[10] En Jesús, cuya relación íntima con el Padre fue elemento fundamental de su existencia, esa orientación social surgió nítidamente por la atención privilegiada que dio a los pobres y por su militancia profética por la justicia. La comunión que ofreció Jesús a los doce no puede quedar restringida al marco de la comunidad cristiana. Esa íntima relación en torno a su persona tuvo una visión que procuró plasmar en la historia: el Reino de Dios, orden de justicia, esperanza de los pobres, utopía dinamizadora de toda lucha de liberación humana. Quienes hoy participan en la celebración eucarística no deben olvidar que la comunidad celebrante tiene una misión que la conduce a una militancia social. A través de ésta dará un testimonio de solidaridad con los pobres, los oprimi-

10. Norman Pittenger: *Life as Eucharist.* Gran Rapids, Michigan: Ed. Wm. B. Eerdman's Publ. Co.; 1973. p. 44.

dos, los marginados, llamados por Dios para que tomen parte en el festín del Reino de Dios.

La práctica eucarística prepara para enfrentar esas luchas.[11] Eso permite comprender por qué, personas que no tienen rasgos extraordinarios, llegan a ser gigantes espirituales por la fe. Cuando se observa la vida de las mismas se aprecia que un fuerte elemento de su espiritualidad está relacionado con su práctica eucarística. La misma lleva al pueblo a dar un testimonio que traduce amar a Cristo por estar dispuestos a dar la vida por otros. Como lo escribía un joven nicaragüense a su sacerdote, al tomar la decisión de ir a luchar por la liberación de su pueblo, integrándose en las filas insurreccionales del F.S.L.N.:

> Hermano, no estás ausente ni tú ni la comunidad en lo irrevocable de mi entrega. Me marcho. Tal vez no nos veamos más, pero yo estaré en la lucha y en la comunidad, en la Iglesia y en la montaña, en las calles y en toda palabra que nuestros pastores digan. Lo que más anhelaba es que hubiésemos celebrado una misa juntos, comulgar juntos y que me perdonaras mis múltiples pecados. Reconozco que no he sido lo mejor, que he dado poco y que es tanto lo que falta para que veamos a nuestro pueblo libre y a los hombres convivir en el amor de Dios. Aunque es duro creo que es mi deber como cristiano que donde haya personas que sufren, dé testimonio del Señor y de lo que tanto hemos predicado: el amor, la comunidad.[12]

11. Cipriano de Cartago, hace notar R. Johanny, veía la eucaristía como una invitación para el testimonio en situaciones difíciles como las del martirio: Cf. W. Rordorf; G. Blond; R. Johanny, etc.: *L'Eucharistie des Premiers Chrétiens,* in *Le Point Theologique*, N° 17. Paris: Ed. Beauchesne; 1976. pp. 172-173. "Para Cipriano, celebrar la eucaristía, comulgar con el cuerpo de Cristo y compartir su cáliz, es aprender a llegar a ser eucaristía uno mismo, es decir: ofrenda y sacrificio": p. 171.
12. Citado por Gustavo Gutiérrez en *Op. Cit.*, p. 194.

La orientación existencial a la disponibilidad, al testimonio sacrificial, pone en evidencia la vida eucarística de la persona y de la comunidad. Cuando se trata de ésta, es Jesucristo quien va tomando forma en la misma como siervo sufriente. Poco a poco la comunidad eucarística, comunidad eclesial, experimenta que entre sus miembros, por los dones que el Espíritu Santo distribuye entre los mismos y que se van relacionando estrechamente, se va produciendo

> la construcción del cuerpo de Cristo. La meta es que todos juntos nos encontremos unidos en la misma fe y en el mismo conocimiento del Hijo de Dios, y con eso se logrará el Hombre Perfecto, que, en la madurez de su desarrollo, es la plenitud de Cristo (Efes. 4:12-13).

Esto significa que la comprensión de la eucaristía por parte de la fe no puede ser "espiritualista", intelectual o gnóstica. La práctica eucarística de una comunidad, si no se manifiesta en consecuencias sociales concretas, en una *vida eucarística,* exige una revisión profunda. La fe cristiana es una afirmación de que Dios se encarnó en Jesús de Nazareth. Su cuerpo y su sangre no son ilusión. Su presencia no es metafísica. Por eso exige ser manifestada a través de cosas tan concretas como una comida en la que hay pan, vino y aquella amistad que se anuda en torno de su persona y el testimonio de su Reino. El sentido de cosas tan sólidas y concretas no puede ser anulado por la traición, el abandono, la negación o la sospecha.[13]

13. Calvino, en su *Commentaire sur Jean 6:51* escribió: "La plenitud de la vida habita en su (*de Cristo*) humanidad; de modo que quien comunique en su carne y en su sangre, disfrutará en ella. Así como la Palabra eterna de Dios es fuente de la vida, del mismo modo su carne es como el canal que expande y hace fluir hasta nosotros la vida, que reside interiormente en su divinidad". Citado por Jean Cadier: *La Prière Eucharistique de Calvin*, en VVAA: *Eucharisties d'Orient et d'Occident*, pp. 175-176.

CAPITULO IX

"MI PAZ OS DEJO, MI PAZ OS DOY"

> Les dejo la Paz, les doy mi paz. La paz que yo les doy no es como la que les da el mundo. Que no haya en ustedes ni angustia ni miedo.
>
> (Juan 14:27)

En el proceso de preparación de la 6a. Asamblea del Consejo Mundial de Iglesias fue convocada una reunión, que tuvo lugar en Diciembre de 1981 en Grandchamps, Suiza. Allí, teólogos de diversas partes del mundo intentaron concretar el sentido que podría tener para las iglesias la afirmación central de la Asamblea: *"Jesucristo – la Vida del Mundo"*. A través de arduas discusiones fueron centrando su reflexión en torno a símbolos claves de la práctica eclesial y entre los mismos se dio atención primordial a la celebración eucarística. En efecto, sea en Europa u Oceanía, en Africa o América Latina, es en torno a la Mesa de la Santa Cena que los cristianos dan expresión a su fe comunitaria, como por otro lado ha ocurrido a todo lo largo de la historia de la Iglesia.

En la celebración de la eucaristía se experimenta que Jesucristo anula y disuelve las razones, las causas, las estructuras que crean nuestras divisiones. Como lo señala el texto que fue producido en la reunión mencionada en el párrafo precedente:

> En una víspera de Navidad un grupo pequeño de prisioneros pidió que les fuese servida la comunión. En un comienzo, el pedido fue rechazado, pero luego les fue otorgado el permiso, con la condición de que un guardia estuviese presente. En el medio de la celebración, uno de los prisioneros –obedeciendo a un impulso interior– ofreció el pan al guardia. Después de un tenso momento, decidió participar. Allí, durante un breve instante, fueron cruzados los límites entre dos mundos, entre dos estructuras. Fueron derribados los muros que separan lo de "nosotros" de lo de "ellos".[1]

Es sorprendente constatar cómo los seres humanos dan expresión profunda a su solidaridad cuando llega el momento de compartir pan y vino en torno a la mesa de la comunión. Diego Irarrázaval, en su estudio sobre prácticas religiosas populares en Chimbote subraya justamente este hecho.[2] El impacto del misterio es tan fuerte, que incluso promueve la solidaridad de aquellos que no comparten la fe de los celebrantes:

> En una prisión latinoamericana un grupo de cristianos vio aproximarse el domingo de pascua: ¡Resurrección! Estaban decididos a celebrar la Sagrada Comunión de cualquier manera, a pesar de la prohibición que sobre ello había en la prisión. Así, según lo que habían acordado previamente, un grupo de prisioneros hizo una

1. John Poulton: *A celebração da Vida* (Tradução ao português adaptada por Rubem Alves). Río de Janeiro: Ed. CEDI; 1983. p. 39.
2. Diego Irarrázaval: *Religión del Pobre y Liberación en Chimbote.* Lima: Ed. CEP; 1978. p. 210: "El reto eucarístico para la mayoría no tiene un sentido sacramental, cuando se le ofrece por alguien que ha fallecido. El signo cristiano ahí no es el ritual a cargo del sacerdote, sino *la solidaridad humana en el dolor y en el recuerdo, y el fortalecimiento de los vínculos entre los vivos*". (El subrayado es nuestro).

> pared de cuerpos alrededor de la reunión secreta de los cristianos. De ese muro humano surgió una conversación que se transformó en una pared de sonidos, tras la cual eran pronunciadas las palabras de celebración y de vida. Los participantes meditaron en el sacrificio de Cristo a partir de su propia experiencia de persecución, prisión, tortura, falsos cargos e, incluso, condenación a muerte. Oraron por todos sus compañeros, amigos, familias. . ., su pueblo cautivo, escondido, escapando. Y por quienes se encontraban cerca de la muerte. Como era totalmente imposible conseguir pan y vino, el pastor –prisionero– simplemente extendió sus manos vacías a las manos también vacías de los otros prisioneros, pronunciando las palabras eucarísticas: *"Tomad, comed, esto es mi cuerpo, partido por vosotros. Esta es la nueva alianza en mi sangre"*.[3]

Lo que interesa poner de relieve es que frente a la solemnidad del misterio pascual, incluso aquellos colegas de prisión que no comulgaban con la fe de los celebrantes, estuvieron dispuestos a arriesgarse solidariamente por los otros. Una vez más se comprobó lo que escribió el autor de la Epístola a los Efesios:

> Miren cómo ahora, en Cristo Jesús, y por su sangre, ustedes, que estaban lejos, han venido a estar cerca. Porque Cristo es nuestra paz, él que de los dos pueblos ha hecho uno solo, destruyendo en su propia carne el muro, el odio que los separaba. Eliminó la Ley con sus preceptos y con sus mandatos. Reunió los dos pueblos en su persona, creando de los dos un solo Hombre Nuevo. Hizo la paz, reuniendo los dos pueblos en un solo cuerpo y los reconcilió con Dios, por la cruz, destruyendo el odio en su persona (Efes. 2:13-16).

La celebración de la Cena es expresión de esta obra

3. John Poulton: *Op. Cit.*, p. 36-37.

de reconciliación, obra de paz. Cuando la eucaristía tiene lugar en medios populares, la solidaridad prevalece, no hay espacio para divisiones. En el contexto de las Comunidades Eclesiales de Base (CEBs), expresión de ese movimiento de renovación de la Iglesia tan vital en América Latina, este espíritu de paz, de reconciliación, de solidaridad, culmina cuando los participantes se abrazan unos a otros saludándose y deseándose: "La paz del Señor sea contigo". Es un momento de extrema alegría, de exultación. Si algo aún separaba a los participantes, ya no cuenta más. Es el encuentro con la otra persona, con el hermano o la hermana. Los puntos de vista diferentes, las posiciones diversas en las discusiones, las palabras divergentes, los enojos que apartaron unos a otros, todo eso queda atrás. Es mucho más que una tregua de circunstancias, que un acuerdo tácito. Es un verdadero encuentro; entre quienes se dan la paz se mueve el espíritu de quien puso el fundamento de la misma: el propio Jesucristo.

Ese gesto que no se calcula, esa alegría muchas veces inesperada, esa liberación del espíritu que abre puertas cerradas por doble vuelta de llave y que superando sus censuras e inhibiciones se funde con otro en estrecho abrazo de amistad fraternal, marca en la liturgia eucarística la gran diferencia entre la realidad del mundo y sus dolores y los frutos de la presencia del Espíritu Santo en la comunidad eclesial. Por eso choca cuando, al celebrarse la santa cena, en muchas situaciones se asiste a una ceremonia extremadamente formal, fría, en la que al llegar el momento del saludo de la paz, las manos apenas se extienden, como si estuvieran aherrojadas por pesadas cadenas. En estos casos cuesta mucho percibir en el desarrollo de la liturgia eucarística la celebración de la liberación.

Mas, como se ha mencionado, no es lo que generalmente sucede cuando en la mesa de comunión el pueblo pobre comparte pan y vino. En esos momentos el pueblo de Dios tiene la evidencia del don, de la gracia, de la paz de Jesucristo, muy diferente de la paz que el mundo puede ofrecer.

Cuando se dice en la Epístola a los Efesios que *Jesucristo es nuestra paz,* esa afirmación debe ser comprendida en el marco de su tiempo. Roma imperaba plenamente sobre el mundo concentrado en torno al Mediterráneo, y aparte de algunas escaramuzas aisladas que sus fuerzas debían enfrentar por algunos rincones del territorio que dominaba, se puede decir que sobre él imperaba una cierta paz. Era la *pax romana.* En realidad se trataba del férreo control impuesto por Roma sobre la administración de los vastos territorios dominados con el propósito de permitir el buen funcionamiento de la vida de aquel imperio: el comercio, las comunicaciones, la producción. . . Era una paz que pesaba sobre todo encima de las espaldas de los pobres, de los esclavos. En gran parte, los grupos dirigentes de aquellos países dominados por Roma aceptaban ese estado de cosas. A veces a regañadientes, como ocurrió en Israel durante el tiempo de Jesús. La consideraban menor y se sometían a ella. Otras veces, cansados de sorportar el control romano, se levantaban en insurrección contra el mismo. Entonces el violento demonio que administraba aquella "paz" mostraba su verdadera cara: con cruenta violencia aplastaba a sus opositores, como ocurrió a comienzos de la década del 70 D.C., cuando los ejércitos romanos arrasaron Jerusalén.

En Israel, en época de Jesús, las capas dirigentes creían que aceptando la dominación romana, el pueblo sufriría menos. Era, por ejemplo, el pensamiento de los herodianos. La verdad es que el pueblo continuaba sufriendo, quizás tanto o más que sin estar sometidos al poder imperial. Verdad también era que esos grupos en el poder se aprovechaban muy bien de la situación. El pueblo, en realidad, no conocía esa "paz". Se desangraba para pagar tributos a Roma y vivía en tales condiciones que no tenía posibilidades de levantar la cabeza. De ahí que surgieron dentro de sus filas, una y otra vez, movimientos revolucionarios que expresaban ese vasto descontento popular. Fue el caso de los Zelotes, una guerrilla armada que actuaba en Palestina durante la primera mitad del Siglo I D.C.

Había otras expresiones de resistencia. Entre ellas hay que colocar al movimiento de Juan el Bautista, cuya fuerza es posible advertir por la forma como fue reprimido por Herodes (Luc. 3:19). El movimiento de Jesús debe comprenderse en este contexto:[4] surgió en la Galilea, tierra en la que abundaban las protestas contra Roma, lugar de Palestina donde el campesinado sufría –además de la opresión romana– la carga de los herodianos y del poder coaligado del Templo y el Sanhedrín ("el poder de Jerusalén"). Ciertamente, todos estos movimientos denotaban que para el pueblo no había "paz". El pueblo no tenía bienestar. Debía soportar la vigilancia, el control, la presencia de legiones fuertemente armadas que lo amedrentaban, además de tener que someterse pagan-

4. Véase a este efecto el libro de Benedito Ferraro: *A Significação Política e Teológica da Morte de Jesus.* Petrópolis, Ed. Vozes; 1977. pp. 55-97.

do pesados impuestos y sufriendo otros tipos de dominación.

Era una "paz" que olía a muerte, que daba dolor y sufrimiento. Como lo expresa el dicho popular, se trataba de "la paz de los sepulcros". No llegó jamás a ser aquel estado de cosas que permite a los seres humanos alcanzar nuevos horizontes, expandir sus posibilidades de vida, vivir en libertad, gozar de justicia y de cierta seguridad social y personal. Era una "paz" que incluso daba espacio a acciones represivas como la que Herodes ordenó contra los inocentes (Mt. 2:16-18) y más tarde contra Juan el Bautista. Hoy también, como entonces, hay masacres de inocentes y profetas asesinados. Fue lo que ocurrió con Martin Luther King y Monseñor Romero. Es lo que está sucediendo con los niños en Etiopía, que mueren frente a la indiferencia casi generalizada de los ricos de este mundo. Es América Central, cuyos pobres sufren y mueren ante la agresión de arrogantes poderosos que dicen defender la libertad quitándosela al pueblo.

También en nuestra época se habla de "paz". Es sueño de todo gobernante que pretende pasar a la historia, hacerlo como "estadista de paz". Nadie quiere ser recordado como administrador de la violencia. Sin embargo, cuando se analizan las propuestas de paz y de desarme que circulan entre los centros de poder es posible apreciar que la pacificación de que se trata es más bien un equilibrio basado en aquella disuasión mutua que produce terror, antes que en elementos que van a dar bienestar a los seres humanos. Es la "paz" que se pretende construir a partir de las amenazas y las intimidaciones y no desde los anhelos más profundos del corazón humano. Esto se revela en la intención de crear la sospecha de que siempre existe un enemigo que nos acecha, que desea nuestro mal. El presupuesto de este tipo de "paz" es el mantenimiento de un clima difuso de agresión que fomenta paranoias y actitudes inamistosas. La agresión llama a la agresión. La posibilidad de sufrir violencia convoca a la preparación para la violencia. Y así es que se expande el movimiento armamentista.[5] En nombre de la "seguridad" marchamos aceleradamente hacia el mayor riesgo que hasta ahora ha conocido la humanidad.

Resulta obvio que en el contexto de estas circunstancias pensar en la reconciliación es una utopía casi irrealizable, un ejercicio piadoso. Nuestras sociedades, eso que el Nuevo Testamento llama "el mundo", no están en condiciones de construir una paz que ayude al encuentro de aquellos que viven en contradicción unos con otros. Es un mundo quebrado, donde las sociedades que lo habitan están sacudidas por conflictos profundos, por luchas muy intensas. Frente a las mismas no es posible esconder la cabeza como el avestruz, para ignorar el peligro porque no lo ve. Las luchas sociales existen, y no es por medio de enseñanzas autoritarias que pretenden borrarlas de la vida de los seres humanos que van a dejar de existir. Hay que tomarlas muy en cuenta, estudiarlas seriamente, poque sólo así será posible percibir cómo crear condiciones para encuentros y diálogos a partir de los cuales pueden alcanzarse acuerdos positivos entre las partes.

5. Las cifras de la producción y comercio de armamentos son asombrosas: según el Instituto de Estudios e Investigaciones para la Paz de Estocolmo (SIPRI), en 1983 se gastaron casi 800 mil millones de dólares norteamericanos. Entre tanto, con un pequeño porcentaje de esa suma podría erradicarse la malaria de la mayor parte de Africa, aplacar el hambre de millones de niños, acelerar el desarrollo del Tercer Mundo; etc.

No es posible ser muy optimista a este respecto. A veces, en este mundo se llega a pactos transitorios que ayudan a que no rija plenamente en él la ley de la selva. Si esto vale especialmente para las relaciones que se establecen entre fuertes centros de poder, especialmente entre los dos superpoderes de nuestro tiempo, infelizmente ello no es suficiente para impedir las manifestaciones irracionales de violencia en la "periferia del planeta". Para los pueblos de Africa, Asia, América Latina, Medio Oriente y Oceanía, la paz de los ricos ha significado también guerras que han acarreado muerte y sufrimiento.

La *paz* de Jesús es diferente. Es un elemento integral de la misión que proclama el Evangelio del Reino de Dios. Cuando Jesús envió a los setenta y dos discípulos les recomendó:

> En la casa que entren digan como saludo: Paz para esta casa. Si hay en ella alguien que merece la paz, recibirá la paz que ustedes le traen (Luc. 10:5-6a).

En el contexto hebreo, y de los pueblos del Medio Oriente en general, el saludo de la paz tiene un rico contenido. Es deseo de *fraternidad* y de *bienestar*, lo que significa que *no puede haber paz sin justicia* (Salmos 72: 3-7; 85:9-11). Cuando Jesús dio la paz lo hizo de acuerdo con una manera que no es la del mundo. La paz de Jesús no es la que propone el militarismo, que emplea la fuerza, difunde el terror, prepara medios de disuasión para que se apliquen según cálculos sistemáticos. La paz de Jesús no cosifica al otro: cuando se encuentra con la otra persona la llama a sentarse a la misma mesa y le lava los pies, a pesar de que vaya a traicionarlo, negarlo o abandonarlo. Propone canales de reconciliación a quienes caen en enemistad mutua. Y, sobre todo, es la paz que libera y que nos insufla espíritu de liberación:

> Les dejo la Paz, les doy mi paz. La paz que les doy no es como la que da el mundo. *Que no haya en ustedes ni angustia ni miedo* (Juan 14:27).

Los temores irracionales gravitan demasiado sobre las existencias humanas. Frente a posibilidades que parecen incontrolables surge la angustia. Ante la presencia de la muerte aparece el miedo. Son realidades de la vida de cada ser humano que en la mayoría de los casos no son enfrentadas ni administradas con la debida madurez y serenidad. Se pretende rechazarlas, alejarlas del plano de la vida consciente, y con eso lo que se consigue es fortalecerlas, hacerlas más duras. Tarde o temprano vuelven, como los demonios de la enseñanza evangélica, y lo trastornan todo. Jesús, en su vida, enfrentó esas posibilidades y esa instancia de la muerte. Conoció la angustia y la tristeza (Mt. 26:37), pero no lo hicieron retroceder.

Cuando los seres humanos se encuentran y saben que las angustias pueden controlarse, que el miedo —aunque legítimo en algunos casos— puede superarse, y que por eso mismo pueden llegar a afirmar su integridad en la vida, entonces conocen aquella manera de poderse comunicar unos a otros con franqueza, lealtad y fraternidad. Ahí florece la comunión. Nace una comunidad en la que resulta posible hablar directamente, confesarse unos a otros los pecados, vivir la reconciliación. La eucaristía es el *acto* donde se concreta este potencial de la vida de la fe.[6] La misma

6. Tissa Balasuriya: *Op. Cit.*, p. 50: "De este modo, la Eucaristía es un remedio contra el egoísmo, tanto individual como social, y una ayuda en la lucha para construir la nueva Sociedad humana sobre la

vida de Jesús: auténtica, íntegra en su amor, transparente (fue un hombre de la luz y no un ser de las tinieblas), franca, da la garantía de esta paz. Nos introduce así en el misterio insondable del ser de Dios: esa profunda relación de amor entre el Padre y el Hijo y el Espíritu Santo.

De ahí el "milagro" del abrazo que significa esa paz, cuando el pueblo pobre se reúne en las Comunidades de Base para celebrar la comunión. Es un gesto que pone de relieve el carácter sacramental del acto eucarístico, dado que el abrazo de la paz en la vida de la comunidad, es el signo visible que indica la presencia real de una gracia invisible, mas actuante. Es la "gracia de Nuestro Señor Jesucristo", nuestra paz.

tierra. Así el poder curativo de la sangre de Cristo tiene su efecto sobre la sociedad".

CAPITULO X

UNIDOS PARA QUE EL MUNDO CREA

> Pero luego comenzaron a discutir cuál de ellos debía ocupar el primer lugar. Jesús les dijo: "Los reyes de las naciones se portan como dueños de ellas, y los que gobiernan se hacen llamar bienhechores. Ustedes no deben ser así. Al contrario, el más importante entre ustedes se portará como si fuera el último, y el que manda como el que sirve.
>
> Pues, ¿quién es el más importante, el que está sentado a la mesa o el que sirve? El que está sentado, ¿no es cierto? Sin embargo, yo estoy entre ustedes como el que sirve.
>
> (Lucas 22:24-27)

La experiencia de los movimientos populares en la lucha por la justicia pone en evidencia que uno de los mayores problemas que deben enfrentar es el de las luchas internas, con sus consecuencias, entre las que hay que destacar la tendencia a la fragmentación, al divisionismo, a la creación de fracciones que luego se enfrentan unas a otras. Mientras el movimiento avanza y va consiguiendo algunas victorias, es más fácil mantener la unidad en el desarrollo de la lucha. Basta, sin embargo, que surjan algunas dificultades y contratiempos para que se radicalicen las críticas y se formen grupos, cada uno de los cuales plantea su posición como si fuera una verdad infalible. La intolerancia, virus maligno, penetra en el cuerpo de la organización popular que se divide, perdiendo así fuerzas y eficacia.

La sobriedad de los relatos evangélicos, preocupados sobre todo con la presentación de los hechos más importantes de la vida de Jesús, permite entrever a lo largo del hilo de sus narraciones, que cuando Jesús y su grupo comenzaron a enfrentar los diversos desafíos de aquella semana de pascua en Jerusalén, se produjeron entre los apóstoles algunas fricciones, surgieron anhelos ambiciosos orientados hacia la adquisición de poder, en tanto que hubo quien se sintió frustrado constatando el giro que tomaban los acontecimientos. Esto último parece ser lo que ocurrió con Judas, quien debe haber tomado parte del grupo que expresó su descontento cuando Jesús, cenando en casa de Simón el leproso, en Betania, no sólo permitió sino que también tuvo palabras de aprecio por aquella mujer que derramó el contenido de un frasco de mármol con precioso perfume adentro.

> Al ver esto los discípulos se enojaron y dijeron: "¿Con qué fin tanto derroche? Este perfume se habría podido vender muy caro para ayudar los pobres". Jesús defendió la acción cumplida por aquella mujer. Fue entonces que Judas tomó la decisión de traicionarlo por un puñado de monedas (Mt. 26:6-16).

De acuerdo al texto de Lucas, fue en ocasión de la última cena que se produjo la discusión entre los doce sobre quién "debía ocupar el primer lugar" de la comunidad (Luc. 22:24-27). El Evangelio de Marcos presenta este pasaje antes de llegar a Jerusalén, por lo tanto en un tiempo previo a la semana de Pascua (Mc. 10:35-45). El texto de Mateo sigue el esquema de Marcos (Mt. 20:2-ss). El texto del cuarto Evangelio, sin narrar los acontecimientos, los presupone como antecedente del gesto de lavado de pies de los discípulos llevado a cabo por Jesús (Jn. 13:1-ss). Son tres ocasiones en las que Jesús y los discípulos sentían con mayor o menor grado que el cerco de amenazas se estrechaba en torno a ellos. Es un momento en el que se perfilan las ambiciones. Quienes tienen un concepto de sus personas que los mueve a procurar posiciones de comando se hacen notar. Fue lo que ocurrió con Santiago y Juan, los hijos de Zebedeo, cuya madre según el texto de Mateo –o ellos mismos, de acuerdo con el testimonio de Marcos– se aproximó a Jesús para obtener una consideración especial para sus hijos llegado el momento de instaurar el Reino. Son comportamientos humanos, demasiado humanos.

En la forma como Lucas organizó los materiales a su disposición para redactar su texto, la discusión sobre este problema tuvo lugar en torno a la mesa. Todos los discípulos conversan con Jesús sobre el asunto. Fue Jesús mismo quien promovió el intercambio de ideas. Eso lleva inmediatamente a tomar conciencia de que la participación en la Cena del Señor no significa que quienes componen la comunidad de fieles superan la tentación del poder, del comando. La comunidad daba en aquella ocasión un testimonio de que no todos los que se acercan a Cristo lo hacen con un espíritu de seguimiento, cultivando un carácter de discípulo. El espíritu humano que anhela el poder –el espíritu de cada hombre, de cada mujer– busca llegar a dominar, a ejercer el mando, y eso también está presente en la celebración más importante de la fe cristiana.

La posición que muestra Jesús se caracteriza por la intransigencia del amor. Quien anhela ser importante en el Reino de Dios tiene que aprender del Maestro, que se hizo servidor de todos:

> Los reyes de las naciones se portan como dueños de ellas, y los que gobiernan se hacen llamar bienhechores. *Ustedes no deben ser así.* Al contrario, el más importante entre ustedes se portará como si fuera el último, y el que manda como el que sirve. Pues, ¿quién es el más importante, el que está sentado a la mesa o el que sirve? El que está sentado, ¿no es cierto? Sin embargo, yo estoy entre ustedes como el que sirve (Luc. 22:25-27).

No hay novedad en esta posición del Señor Jesús. Ya había expresado lo mismo cuando en otra ocasión también sus seguidores

> comenzaron a discutir sobre cuál de ellos era el más importante. Pero, Jesús se dio cuenta de lo que les preocupaba y, tomando a un niño, lo puso a su lado, y les dijo: "El que recibe este niño por causa de mi nombre, me recibe a mí, y el que recibe a mí, recibe al que me envió; porque el más pequeño entre ustedes, ése es el más grande" (Luc. 9:46-48).

El seguidor es quien ofrece el pan y hace circular la copa para que beban y se alegren quienes se sientan a la mesa. El servidor es quien va construyendo canales de comunicación entre los invitados al banquete. Así, poco a poco, va tejiendo una malla que permite el encuentro –y hasta la reconciliación– entre personas que hasta ese momento podían estar separadas. La comunidad que sella su relación en torno a la mesa del Señor, por el servicio de éste, se ve llamada a esta práctica de unidad, de aceptación de la otra persona, de reconciliación: Hay un texto del Sermón del Monte donde se subraya esta necesidad de hacer la paz con los otros:

> Saben que se dijo a sus antepasados: 'No matarás, y el que mate será llevado ante la justicia'. Yo les digo más: cualquiera que se enoje contra su hermano, es culpable, y el que lo trate de tonto será llevado ante el Tribunal Supremo, y el que lo trate de renegado de la fe, es digno del infierno. *Por eso, cuando presentes una ofrenda al altar, si recuerdas allí que tu hermano tiene alguna queja en contra tuya, deja ahí tu ofrenda ante el altar, anda primero a hacer las paces con tu hermano y entonces vuelve a presentarla* (Mt. 5:21-24).

En la vida de una comunidad existen problemas, momentos de enfrentamiento entre quienes han asumido posiciones diversas. Los debates pueden llegar a ser ásperos. Hasta las relaciones pueden enfriarse. Todo eso es humano. La situación, empero, se vuelve peligrosa, cuando la intolerancia lleva a una de las partes (o a ambas) a procurar la segregación de la otra, o a buscar su sometimiento. Es el momento en el que surge la tentación del poder, del control, de la afirmación de la propia superioridad. Esta tendencia no sólo existe entre las personas, también se la advierte entre las instituciones. Las iglesias una y otra vez la han manifestado a lo largo de la historia.

Esto tiene mucho que ver con el problema que se plantea cada vez en términos más agudos de la intercomunión. Por un lado, nadie puede dejar de reconocer, que cuando Jesús tuvo la cena con sus discípulos, invitó a quienes formaban parte del círculo más próximo de sus colaboradores. Había otros que pudieron recibir ese honor: por ejemplo, algunos del grupo de los "setenta y dos" que fueron enviados a visitar las ciudades y lugares por los que luego Jesús andaría (cf. Luc. 10:1-24). Sin embargo, no fue el caso. Por otro lado, los testimonios históricos abundan y llevan a afirmar que en las iglesias de los primeros siglos que siguieron a la muerte y la resurrección de Jesús, había un extremo cuidado para que celebrasen la eucaristía bautizados que probaban fehacientemente en su existencia cotidiana su fe en Jesucristo. O sea, se procuraba con todo rigor evitar la profanación de la Cena del Señor. La hospitalidad eucarística no se aplicaba con facilidad. La mesa no estaba abierta a todos.

Este rigor todavía persiste en nuestro tiempo: muchas iglesias no abren la mesa de comunión a los fieles de otras denominaciones. Se arguye en favor de esta actitud con razones muy válidas. Los argumentos canónicos, formales, son las barreras legales aplicadas celosamente por quienes se oponen a la práctica de la intercomunión. Pero, al mismo tiempo, también es necesario constatar que hay cristianos de diferentes tradiciones que comparten esperanzas, luchas, sufrimientos, testimonios, que oran y leen la Biblia juntos, y que no se conforman hoy con tener que celebrar la eucaristía por separado. Se trata de hermanas y hermanos de diferentes iglesias, profundamente leales a las mismas, que en virtud de sus testimonios de fe han ido anudando fuertes lazos de amistad y compañerismo cristiano. Comparten sueños y vigilias, ayunos y rezos. No obstante, hay cánones que en su formalidad niegan lo que Dios en la vida y en la historia va llamando a ser como comunidad. Pese a la comunión real que como personas experimentan, las tradiciones eclesiásticas a las que pertenecen los obligan a separarse cuando llega el momento de la celebración eucarística. Junto a la preocupación de ser fieles al Señor que los llama a ser "uno" en el pueblo de Dios, está su conciencia de ser leales a cuerpos eclesiásticos, cuya intransigencia no es siempre un reflejo de apego y lealtad a la fe. En efecto, nadie puede negar que en toda intransigencia hay aspectos que están más cercanos a la voluntad de control y de poder, que a la vocación de servicio. Muchas veces esta distancia que infelizmente persiste entre muchos cuerpos eclesiásticos cuando llega el momento de la solemnidad eucarística, traduce también otros tipos de separaciones que afectan a las iglesias. Diferencias incluso más hondas, de carácter social, económico, político y cultural.[1]

Esta situación lleva a plantear inmediatamente algunos puntos relativos a la práctica eucarística de las iglesias. Por ejemplo, surge la constatación de que hay una tensión entre el espíritu de servicio con el que Jesús instituyó la celebración de la Cena, y la decisión de controlar la aproximación a la Mesa de la comunión. Nos parece que el acento tiene que colocarse sobre lo primero. La eucaristía, como prefiguración del banquete del Reino, exige una actitud de mutuo reconocimiento, que comienza cuando hay una confesión mutua de pecados y un perdón compartido. No hay posibilidades de descalificar la fe de los demás en torno a la Mesa, cuando esta misma fe conduce a los creyentes a pedir el mutuo perdón por sus divisiones, por las fracturas del cuerpo de Cristo.[2]

1. Tissa Balasuriya: *Op. Cit.*, p. 4.
2. Cf. J. Zizioulas, en el libro escrito con J.M. Tillard y J.J. von Allmen: *L'Eucharistie: Op. Cit.*, pp. 73-74.

De no manifestarse esta reconciliación, entonces la solemnidad de la Cena pierde mucho de su significación escatológica. El *qué* de la eucaristía no puede ser separado del *cómo,* según lo señalara cuidadosamente San Pablo a los Corintios. De ahí que parezca conveniente insistir que las iglesias y los cristianos son llamados a expresar en su propia vida este amor, esta reconciliación que es la mejor garantía de que las relaciones de quienes serán recibidos en el Reino son de una profunda afinidad espiritual, de gran fraternidad. La comunión eucarística no existe sin una práctica concreta del amor por los demás, especialmente, por los más pobres y desvalidos. En el Evangelio de Juan, justamente el gran mandamiento de amor es indicado por Jesús en el contexto de la última cena:

> Si guardan mis mandamientos permanecerán en mi amor, así como yo permanezco en el amor de mi Padre, guardando sus mandamientos. Yo les he dicho todas estas cosas para que participen en mi alegría y sean plenamente felices. Ahora les doy mi mandamiento: Amense unos con otros, como yo los amo a ustedes. No hay amor más grande que éste: dar la vida por sus amigos. Ustedes son mis amigos si cumplen lo que yo les mando. Ya no les diré servidores, porque un servidor no sabe lo que hace su patrón. Les digo: amigos, porque les he dado a conocer todo lo que aprendí de mi Padre. (. . .) Yo les ordeno esto: que se amen unos a otros (Juan 15:10-15; 17).

La fuerza de este mandato, como por lo demás, de todo lo que se relaciona con la eucaristía, está en la misma vida de Jesús. Esta es la garantía del misterio pascual, la que lo autentica. Cuando el mandato de Jesús se traduce en una práctica de amor, ya no hay barreras entre los seres humanos, ni estructurales, ni existenciales, ni legales.

Sin embargo, el amor es puesto a prueba una y otra vez, a veces cuando menos se lo espera. Los obstáculos pueden surgir en cualquier momento de la vida de la comunidad, y con ellos pueden venir nuevas tensiones, nuevos motivos de división. Jesús tuvo conciencia de esta situación; presintió que sus seguidores serían sacudidos por situaciones de esa índole. Eso ocurrió cuando hubo que enfrentar oposiciones y persecuciones. Hubo, también, otros motivos de división (por ejemplo, en la comunidad de Corinto: cf. I Cor. 1-3), pero no tan graves como los ocasionados por la búsqueda de poder para conducir a la Iglesia frente a las serias dificultades que le crearon sus opositores.

Frente a la eventualidad de ese riesgo, aparece al final de la última cena, en el texto del Evangelio de Juan, la oración de Jesús por la unidad de sus discípulos. Allí ruega al Padre que quienes creen en su Palabra vivan en unidad (cf. esp. Juan 17:20-23). Luego de haber comido juntos, después de haber sellado la existencia de la comunidad con los alimentos compartidos, tras haber mostrado el camino de servicio y amor a seguir con el gesto del lavado de pies, Jesús destaca la importancia decisiva de la unidad para la comunidad de creyentes. Todo eso se concentra, según el testimonio del cuarto Evangelio, en ocasión de la última cena.

La eucaristía aparece entonces como la ocasión, el ámbito, para que llegue a concretarse el misterio, el sacramento de la comunidad. Esta se manifiesta en una práctica de la participación a través de la que se expresa la *koinomía,* la comunión en el cuerpo de

Cristo.[3] La unidad de la iglesia es inseparable de la participación comunitaria. Esta, a su vez, significa "compartir lo que somos y tenemos. El corazón de nuestra fe es un Dios que se compartió a sí mismo en su propio ser trino de Padre, e Hijo y espíritu Santo; y sobre todo, que se comparte a sí mismo con la creación de la humanidad y de la naturaleza. El Reino de Dios es la realidad y la promesa de esta comunidad para compartir con la Deidad. Cuando Pablo apela a la dividida iglesia de Corinto para compartir sus bienes con los pobres de la iglesia madre de Jerusalén en II Corintios 8-9, utiliza todas las palabras claves de la fe –gracia y acción de gracias (*charis*), gozo (*chara*), amor (*agape*), servicio (*diakonía*), liturgia (*leiturgia*), igualdad (*isotes*), bendición (*eulogía*), generosidad del corazón (*haplotes*), y comunión (*koinonía*). Basa su llamado en el propio gesto de Cristo:

> Este servicio será para ellos una prueba; darán gracias a Dios porque ustedes comparten generosamente con ellos y con todos. Rogarán a Dios por ustedes y les tendrán cariño por la maravillosa gracia que derramó sobre ustedes. Sí, gracias a Dios por su don, que nadie sabría explicar (II Cro. 9:13-15).[4]

Esta comunión lleva al ejercicio concreto de la solidaridad con los pobres, a la conversión de los opresores para que asuman el punto de vista de los oprimidos. Sólo así, de abajo hacia arriba, pasando por la cruz, se llega a una efectiva reconciliación. Por eso, coherente con la exigencia de Jesús a los discípulos

3. Cf. Philip A. Potter: *A Call to costly Ecumenism,* in *The Ecumenical Review*, Vol. 34, N° 4; October 1982. p. 341. Genèva: WCC.
4. Philip A. Potter: *A Growing Community of Faith,* in *The Ecumeniccal Review*, Vol. 32, N° 4; October 1980. pp. 382-383. Geneva: WCC.

(Luc. 22:24-27), Tissa Balasuriya reclama que se restaure en la vida de la iglesia la comprensión de la eucaristía desde el lado de los oprimidos:

> El Cristianismo ha sido distorsionado y deformado por su alianza con los poderes que han ejercido su dominio sobre el mundo. Aquéllos de nosotros que pertenecemos al polo dominado durante la época moderna sabemos de qué manera el Cristianismo tomó partido en favor de la opresión. Tenemos que reflexionar desde el lado del oprimido. Debemos preguntarnos ¿cuánto ayuda la Eucaristía a nuestra liberación? (. . .) ¿Hasta qué punto es el culto oficial de las iglesias un medio real de liberación concreta? ¿Ayuda a que las personas se transformen genuinamente, de tal modo que lleguen a aceptar los valores eucarísticos que conducen a una práctica solidaria del compartir? En este sentido, ¿ayuda a construir objetivamente el Reino de Dios, según los valores de la verdad, el amor, la justicia y la paz? [5]

Cuando ese espíritu –ese mismo que hubo en Cristo Jesús (cf. Fil. 2:5-8)– se manifiesta en la eucaristía, ésta llega a adquirir credibilidad. Sobre todo para el pobre, para el desvalido. Eso lo apela a creer en la reconciliación, en el Reino. Lo que está en juego aquí es nada menos que la posibilidad de creer en el Evangelio. Esta última parece indisociable de la existencia de una comunidad eucarística, la que se manifiesta cotidianamente comprometida con el Reino. Así, la Cena del Señor pasa a orientar la pastoral de la Iglesia. Por otro lado, es la fidelidad de la pastoral al Evangelio que anuncia el Reino de justicia a los pobres, que da garantía del valor de la práctica eucarística de la comunidad.

Este espíritu es un espíritu de *unidad.* Cuando sur-

5. Tissa Balasuriya: *Op. Cit.*, p. 6.

ge, hay una fuerte necesidad de *reunirse en torno a una sola Mesa.*[6] Claro que esto plantea problemas. No puede ser de otra manera. Ocurrió del mismo modo cuando Jesús tuvo su última cena con los doce. Varias veces éstos se turbaron. El punto no radica en evitar los problemas, sino en ser fieles a la institución eucarística. A ese espíritu que lleva a *compartir.* A compartir la Mesa. Compartir el pan y el vino para florecer en amistad, en comunidad.

6. Max Thurian: *Une Seule Eucharistie.* Taizé: Les Presses de Taizé; 1973. pp. 127-128. "Esta actitud, única esperanza de la reconciliación, apela al espíritu de pobreza, a la verdadera humildad, a la abertura del corazón al don del Espíritu creador. La Iglesia no puede dejar de tener este espíritu de pobreza y de humildad (. . .)".

CAPITULO XI

ENFRENTANDO AL MUNDO

> Una vez cantados los himnos, se fueron al cerro de los Olivos.
>
> (Marcos 14:26)

Los textos de Mateo y de Marcos cierran la narración de la última Cena indicando que, conforme al tradicional modo de celebrar la pascua, Jesús y sus amigos cantaron los salmos del Hallel (Salmos 113-118), y se dirigieron al cerro de los Olivos (cf. Mt. 26:30ss; Mc. 14:26-ss). En la narración de Lucas el final de la comida es más abrupto: luego de que Jesús advirtió a sus compañeros de los peligros inminentes que los esperaban, el grupo de los doce hizo un rápido inventario de las armas con que contaban para luchar:

> Mira, Señor, aquí hay dos espadas. El les repondió: "Basta ya! " Entonces Jesús salió (. . .) (Luc. 22:38-39).

Hay dos cosas que interesa recalcar de estos relatos de los Evangelios Sinópticos. La primera, que la comida terminó con cantos de alabanza, que ciertamente –según la tradición del pueblo judío– celebran la llegada y el triunfo del Mesías.[1] La segunda, que la Cena no condujo a un retiro, a un escape de los desafíos que presentaba la situación, sino que afirmó en Jesús una actitud decidida para enfrentar esos riesgos. Y, de acuerdo al testimonio de Lucas, recomendó a sus discípulos que se prepararan cuidadosamente para enfrentar al mundo:

> Cuando los mandé sin bolsa ni cartera, ni calzado, ¿les faltó algo? Ellos contestaron: "Nada". Y Jesús agregó: "Pero ahora, si alguien tiene una cartera, que la lleve, y lo mismo el que tiene una bolsa. Y si alguien no tiene espada, mejor que venda su capa para procurarse una. Pues les digo que tiene que cumplirse en mi persona lo que dice la Escritura: Lo tratarán como a un delincuente. Todo lo que se refiere a mí llega a su fin (Luc. 22:35-37).

La experiencia de la comunión del grupo que espera la llegada del Reino de Dios lleva a un compromiso por ese Reino en la historia. Las consecuencias serán muy duras. Pero allí conduce la culminación del acto eucarístico.

En la tradición del cuarto Evangelio hay un pasaje convergente. En ocasión de la cena en la que Jesús se despidió de sus discípulos, aprovechó para alertarlos sobre las graves dificultades que enfrentarían luego de su muerte:

> Cuando el mundo los odie, recuerden que primero que a ustedes el mundo me odió a mí. Si ustedes fueran del mundo, el mundo los amaría, porque el mundo ama a los que le pertenecen. Pero a ustedes el mundo los odiará porque no son del mundo, sino que los elegí del medio del mundo. Acuérdense de lo que les dije: el servidor no

1. Cf. cap. I.

es más que su patrón. Me persiguieron a mí, también los perseguirán a ustedes. No hicieron caso de mi enseñanza, tampoco harán caso de la de ustedes. Les harán todo esto por causa mía porque no conocen al que me envió. Si yo no hubiera venido, ni les hubiera hablado, ellos no tendrían pecado. Pero ahora están en pecado y no se pueden disculpar. Quien me odia a mí, odia también a mi Padre. Si no hubiera hecho ante ellos cosas que nadie había hecho, no estarían en pecado. Pero las han visto y me odian a mí, y a mi Padre (Juan 16:18-24).

Los acontecimientos que siguieron a la cena confirmaron las premoniciones de Jesús. Este era plenamente consciente del odio de sus enemigos, de la perversidad de sus intenciones: habían corrompido a Judas, harían presión sobre Pedro y los demás que lo dejasen solo, se complacerían luego en escarnecerlo y en injuriarlo a lo largo de su juicio, del camino hacia la cruz, y sobre todo mientras duró su agonía de muerte al estar colgado del madero. Todos estos acontecimientos expresan el rechazo del Reino. No creyeron en el mensaje de Jesús. No aceptaron la nueva realidad que anunció y autenticó con su vida.

Ese rechazo del Reino persiste hasta nuestro tiempo. Se vive una situación histórica en la que los pobres –herederos del Reino– son explotados, aplastados, sojuzgados. Sus esperanzas son burladas, sus expectativas más inmediatas son pospuestas. De este modo, el Reino de Dios es sometido a violencia. A pesar de disponer de los medios y recursos necesarios para resolver problemas urgentes de vastos sectores de la población del mundo, es un hecho que no existe la voluntad correspondiente para hacerlo entre quienes administran centros de poder y de decisión. El egoísmo aún predomina en muchos corazones humanos, haciéndolos avaros, mezquinos, tacaños. Preocupa más lo de uno que lo del otro, la necesidad superflua y banal de sí mismo que los problemas de los demás.[2]

El Reino de Dios padece esta violencia cuando los menores no tienen protección, cuando las mujeres son discriminadas y sometidas; cuando hay racismo; cuando se desprecian las culturas del pueblo y se afirma la supremacía de aquélla que se impone a partir de centros de dominación; cuando se quiere ignorar la identidad de los pobres y sus derechos.

En este contexto, participar en la eucaristía significa –como lo señalaba muy bien Juan Crisóstomo en su época –hacer frente a ese odio del mundo que arrebata con furia contra el Reino de Dios. Lo sabían muy bien los cristianos de los dos primeros siglos de la historia de la Iglesia, para quienes muchas veces era sumamente riesgoso participar en la eucaristía.[3] En torno a la mesa se reunían libres y esclavos, hombres y mujeres, jóvenes y viejos, romanos y bárbaros, judíos convertidos y gentiles (Gal. 3:28). Las barreras sociales desaparecen en ocasión de la celebración del misterio eucarístico. Pero, la fuerza de éste no conclu-

2. San Juan Crisóstomo señalaba que el espíritu de avaricia, de *acumulación*, es incompatible con la eucaristía: *Homilía 82,* sobre S. Mateo 26:26. *Textos Eucarísticos Primitivos*, I. Madrid: BAC; 1952. p. 560. "No asista (a la eucaristía), pues, ningún Judas, ningún avaro. Si alguno no es discípulo, retírese: no admite a los tales la sagrada mesa. *Con mis discípulos,* dice *celebro la pascua* (Mt. 26:18). Esta es la misma mesa que aquélla. Porque no es que Cristo preparara aquélla y el hombre ésta, sino entrambas Cristo. Este es aquel cenáculo en que entonces estaban y de donde salieron al monte de los Olivos. Salgamos también nosotros en dirección de las manos de los pobres, porque ellas son el monte de los Olivos. Olivas plantadas en la casa del Señor son la muchedumbre de los pobres, que destilan el aceite que allí nos será útil (. . .). Ningún inhumano se acerque, ningún cruel y sin compasión, ninguno absolutamente que esté manchado".

3. Tissa Balasuriya: *Op. Cit.*, p. 27.

ye con la dispersión de la asamblea. Los miembros que la componen van al mundo para ofrecer testimonio del Reino de Dios, cuya señal ya está dada en la solemnidad eucarística. En la confrontación con el mundo, como lo señalaba Jesús, los cristianos tendrán que dar razón de su fe ante un bloque hostil. Los padecimientos son inevitables. Mas, como señala Tomás de Aquino:

> La pasión de Cristo, por cuya virtud obra este sacramento, es por cierto la causa eficiente de la gloria; no se trata de que nos haga entrar en ella inmediatamente, *pues debemos primero padecer con él* para *ser luego glorificados con él.*[4]

Todo esto lleva a comprender que no hay cosa más lejana del espíritu eucarístico que una aproximación individualista, privatista, al sacramento. Este tiene una dimensión social que no puede ser ignorada. Es cierto que tampoco es posible acudir a la mesa del Señor sin un espíritu piadoso y devoto, sin una fe personal. Mas debe siempre quedar claro que la celebración de la *comunión* es un acto colectivo. Y que es colectivamente como los cristianos están llamados a hacerse presente en el mundo, enfrentando todo aquello que en el mismo se manifiesta como agente enemigo u obstáculo al Reino de Dios. La eucaristía debe ser por lo tanto una dinámica de cambio social. Su impacto social tiene que ser revolucionario en sociedades en las que prevalecen las desigualdades. La eucaristía no puede ser debidamente celebrada si no hay respeto por la persona humana. En consecuencia, ella exige que se luche por los derechos humanos.

4. Tomás de Aquino: *Summa Teológica*, Vol. IX. Porto Alegre: Escola de Teología São Lourenço de Brindes, Livraria Sulina; 1980. p. 4293.

Este es un desafío que se presenta también a los cristianos en las sociedades socialistas. (. . .) La celebración eucarística es por lo tanto un desafío permanente a los seguidores de Jesús para que traten de construir comunidades verdaderamente humanas en las que haya un ejercicio concreto del compartir y un amor que lleva a las personas a superar su egoísmo.

> En este sentido, la mesa eucarística prefigura al nivel más alto de la liberación humana, la realización del Reino de Dios en la tierra como en el cielo. Es escatológica. Significa aquella situación prometida en las Escrituras donde se dice que el león y el cordero se acostarán juntos y compartirán el mismo pasto; tiempo en el que toda lágrima será enjugada; cuando Dios sea todo en todos.[5]

Diciéndolo de otro modo, la forma como Jesús condujo su última cena con los doce, los comentarios que a lo largo de la misma fue desarrollando, el modo de concluirla yendo hacia el cerro de los Olivos luego de cantar los salmos que expresan las esperanzas mesiánicas del pueblo de Dios, son elementos que llevan a afirmar que la eucaristía está orientada hacia la acción. El espíritu eucarístico conduce a la comunidad celebrante al mundo.[6]

Esto significa inmediatamente por lo menos dos cosas. La primera, que la celebración de la Santa Cena tiene que estar relacionada con aquellos movimientos y acontecimientos históricos que van señalando al Reino y abriendo sendas que preparan su llegada

5. Tissa Balasuriya: *Op. Cit.*, p. 84.

6. N. Pittenger: *Op. Cit.*, p. 82. "La liturgia (de la eucaristía) nos ayuda a ver que no necesitamos "salir del mundo" para conocer a Dios. Es en medio de este mundo que El vuelve a nosotros. Como dijo una vez San Agustín, no estamos obligados a subir a los cielos para encontrar el camino de Dios. El camino ha sido traído a este mundo en el que estamos. Lo que tenemos que hacer es caminar por él".

definitiva y total. No hay cosa más insignificante que el acto de compartir pan y vino en nombre de Jesús sin referirse a la acción de su Espíritu en la historia. En el momento de la solemnidad la comunidad tiene la oportunidad para expresar sus anhelos, cantar sus liberaciones, compartir sus agonías. . ., refiriendo todo eso a lo que Dios está haciendo en el mundo por su Santo Espíritu. La segunda cosa lleva a señalar que si las comunidades cristianas sienten que parte de su testimonio es luchar solidariamente con los pobres y oprimidos por un mundo de justicia y libertad, entonces esa acción a nivel de la sociedad tiene que estar relacionada con la práctica de la eucaristía. Es a través de ésta que se renuevan las fuerzas y los entusiasmos que dinamizan la acción del pueblo de Dios.

Cuando la celebración de la Cena del Señor tiene este carácter –cosa que ocurre cada vez con mayor frecuencia en los medios populares de América Latina–, se concreta la fiesta de la alegría. Un ejemplo: en la parroquia de Nuestra Sra. de los Angeles, en el barrio Riguero de Managua, Nicaragua, en Enero de 1980. El templo estaba lleno con los humildes pobladores de la vecindad. El gozo impregnaba los rostros. La fraternidad inundó el espacio cuando llegó el momento del abrazo de la paz. Y el pueblo soltó su gran alegría al cantar: "Cristo ya nació en Palacagüina. . .", el hermoso villancico de la Misa Nicaragüense de Mejía Godoy.

Otro ejemplo: un grupo de evangélicos de muchas partes de Brasil estaban reunidos para estudiar, orar y celebrar juntos su fe en Resende, a mitad de camino entre São Paulo y Río de Janeiro. Al caer la tarde del sábado se celebró la Santa Cena. El oficiante, extremando el cuidado y amor que puso en la preparación de la comunión, distribuyó antes de los elementos de pan y vino una infusión preparada con hierbas amargas, símbolo de los pesares de años sin libertad vividos bajo la opresión, vividos con mucha tristeza. El pan compartido, el vino bebido de la misma copa significaron la unión de la comunidad. Siguió un silencio denso, profundo. Hasta que alguien dijo: "Jesús está con nosotros; vamos a abrazarlo al estrecharnos en los brazos unos con otros". Y así explotó el júbilo, la amistad, la alegría. En los testimonios que siguieron resonaba como melodía dominante el coraje que nace de la fe y que lleva a los cristianos a dar razón de su creencia en Jesús, de su esperanza en el Reino, frente a los poderes de este mundo.

Podría seguir el collar de historias. La convergencia entre ellas es evidente. Luego de la Cena del Señor, como luego de la pascua judía, se agradece la comida y se canta el *hallel.* Se canta, con alabanzas y acción de gracias al Dios Vivo, por la liberación que ofrece a su pueblo. Porque Dios libera del yugo opresor (Salmo 114); porque defiende a los pequeños (Salmos 115:9-11); porque es posible presentar ofrendas a Dios por el bien que nos hace (Salmo 1166:12-17); porque su amor (liberador) perdura para siempre (Salmo 117); porque viene para liberarnos (Salmos 118:22-29). Son salmos mesiánicos, que apuntan al cumplimiento del Reino, del día de triunfo del Dios liberador de los oprimidos, justiciero de los pobres.

De este modo, la celebración eucarística culmina, por un lado, abriéndose a la *parusía,* al momento del retorno esperado de Jesucristo, cumplimiento del Reino. Los himnos son oraciones, como los Salmos del *Hallel,* que subrayan la esperanza de que habrá redención, de que este mundo injusto será transformado en oasis de paz. Y, por otro lado, con esa convicción la comunidad vuelve a su realidad cotidiana, intentando concretar en ella señales que prefiguren esa realidad del Reino, esa presencia misma de Jesús, saboreada junto a la Mesa.

Es bueno tener en cuenta la forma como Jesús concluyó su comida pascual: a pesar de la preocupación que reinaba en el seno de la comunidad, salieron cantando. ¡Caminando y cantando! Muchas veces se reduce la eucaristía a un símbolo, o a un memorial, o se transforma el misterio de la presencia de Jesús en magia. Eucaristía es *sacramento*; hay en la celebración una concentración extraordinaria de señales y significados. La riqueza simbólica es violentada cuando se procura reducirla a un solo sentido, a una única dimensión. La conciencia de la presencia de Jesús no puede ni debe ser menoscabada de esa manera. Esa presencia inunda esa comida en la que amigos –en el nombre de Jesús y por su gracia– comparten pan y vino. Amigos que constituyen una comunidad decidida a luchar por su Reino "hasta que él venga": "Porque él tiene que reinar hasta que haya puesto bajo sus pies a todos sus enemigos" (I Cor. 15:25). Amigos que, en tanto luchan, también claman: "*Maranatha*" – ¡Ven Señor!

Este libro se terminó de imprimir en los talleres de Litografía e Imprenta LIL, S.A. en octubre de 1985. Su edición consta de 1.500 ejemplares.